たかしよいち 文
中山けーしょー 絵

空を飛べ！ 巨大翼竜

理論社

もくじ

←この角をパラパラめくると
ページのシルエットが動くよ。

ものがたり

王者（おうじゃ）のおしえ

おはよう！　プテラノドン

「ガアー！（おはよう）」

向こうの木立ちで、声がした。

その声で、プテは目をさました。

「ガア！（おはよう！）」

プテは、ねむけまなこでこたえた。

バタバタバタバタ……。

羽音がして、向こうの木立ちから、

すーっと、とんできたのは、
なかまのプチだ。
（プチのやつ、このごろずいぶん、
とび方がうまくなったな）
プテはいっしゅん、そう思った。
「グクァグクァ！（ほら、ねぼけてないで、
ちゃんと目をさましなさいな。もう、とっくに
お日さまが空にのぼっているのよ）」
プチは、とまり木にぶらさがって、ねむたそうな顔を
しているプテのそばにとんでくると、ちょっとなまいきに、

そういった。

「ガアー！　ガッー！（ちぇっ、ちょっとばかり早起きしたからって、なまいきいうなよ。おれはもうとっくに、目をさましていたんだぞ）」

プテは、そばにやって来たプチをにらみつけ、大きな声でいった。この二ひきは、プテラノドンとよばれる、空をとぶきょうりゅうのなかま、つまり翼竜の子どもだ。

プテがおすで、プチがめす。

人間でいえば、小学三年生の男の子と、女の子ってところだ。

人間だってそうだが、三年生ともなると、女の子にも、でしゃばりで、なまいきなやつがいるもんだ。だけど、どこかにくめないところがあるのは、人間も翼竜もおんなじだ。

「ガッ！　ガッガッ！（うるせえな、朝っぱらからなんだ。せっかくいい気持ちでねぼうしてるっていうのに。おしゃべりは、どっかほかへ行ってやれ！）」

木の上で、朝ねぼうをきめこんでいた、プテのとうちゃんが、二ひきの話し声で目をさまし、うるさそうに首をふりまわしてさけんだ。

「ガァ！　ガガガガ！（そうだよ、そうだよ。子どもって、どうして、こんなにうるさいんだろうね。ろくに、とべもしないくせに、口だけは、たっしゃなんだから）」

プテのばあちゃんも、しゃがれ声で、とうちゃんにあわせる

ように、さけんだ。
おとなって、なんて
勝手なんだろう。自分に
つごうがわるいと、すぐ
子どものせいにして、ガミガミ、
ガミガミ、がなりちらすのは……。
きょうりゅうも翼竜も、みんなおなじだ、
とプテは思った。
「ガァーッ！（行こう！）」
プテは、プチにいった。

「ガァッ！（どこへ行くんだ。ろくにとべもしないくせに）」

プテのかあちゃんが、プチをさそってとびたとうとするプテを、ひきとめようとした。

「ガー（どこだっていいだろう。うるさいっていうから、ほかへ行くんだ）」

プテはかあちゃんにそういうと、つばさをひろげ、ぶらさがっていた木の枝から力いっぱい、広い空に向かってとんだ。

そのあとを、プチも追いかけた。

「ガァッ！（待ちなさい、帰っておいで！）」

かあちゃんが、せいいっぱい
さけぶのをふりきって、プテはとんだ。
（おとなって、勝手（かって）だよ。おれたちの気持（きも）ちを、
ちっともわかってくれないんだから……）

プテは、なきたい気持ちをおさえ、力いっぱい空をとんだ。

（まあプテって、いつのまに、とぶのがじょうずになったのだろう……）

プテのうしろをとんできたプチは、思わず目を見はった。

しばらくとびまわっていた二ひきは、やがて海を見おろす丘にやって来て、一本の木にとまった。

「ガーァー（おなかすいたなあ）」

「ガァァー（あたしもよ……）」

二ひきとも、まだ朝ごはんを食べていなかったから、おなかはぺっこぺこだ。

空の王者がやって来た

いつもなら、とうちゃんやかあちゃんがとってきた、えさをもらって食べていたプテとプチだ。おなかがすいても、だれも食べものなんか、めぐんでくれない。

ピチッ！

海の上に、二、三びき魚がはねた。それを見たプテは、いきなり、とまっていた枝から、サーッとつばさをすぼめ、海面をめざしてつっこんだ。

バシャーッ！

水しぶきがあがり、くちばしで魚をとらえた！
と思ったとき、魚はするりとすりぬけた。
そのしゅんかんにプテは、ひょいとつばさを
ひるがえし、空に向かって力いっぱい、とび
あがらなければならなかったのだが……。
ああ、ざんねん。まだまだ、くんれんの
たりないプテは、そのまま水中に
とりのこされ、もがいた。
「ガアーッ！」
上空からそれを見たプチは、

大声(おおごえ)でプテに向(む)かってさけんだ。
だが水(みず)の中(なか)でプテは、ばたばたと
もがいているだけだ。
このままでは、おぼれて
死(し)んでしまう！

「ケケケケケケ……」

岸べから、あざわらう声がきこえた。ダチョウきょうりゅうのオルニトミムスだ。

「ケケケケケーッ！（ごらんなさいな。プテラノドンのおばかさんが、じょうずに水あびをしているよ。なんておじょうずなんだろうね。そのうち水におぼれて、あの世行きさ！）」

オルニトミムスたちは、あたりじゅうにきこえるような声で、しきりにはやしたてた。

あちこちから、きょうりゅうたちも
出てきた。海の中でバシャバシャもがいて
いるプテを、きのどくそうに見つめている。
トリケラトプス、アンキロサウルス、
マイアサウラなどの、草を食べる
きょうりゅうたちだ。
プテは水の中で、羽をバタバタさせながら、
なんとかしずまないようにと、ひっしにもがいた。
そのようすを、この海をすみかとするモササウルスが、
見のがすはずはない。

モササウルスは、
おぼれかけてもがいている
プテのほうへ、海中をすーっと、
しのびよってきた。
「ガァーァー（だれか来てーっ、たすけてーっ！）」
プチは、空をまいながら、大声でたすけをよんだ。
と、そのときだ。
「ガァァッ！」
なんともいえないおそろしい声が、森を、そして海を
つきぬけてひびいた。

かっ色のはだに、白いまだらのある巨大なものが、海を見おろす丘から、さっと空へまいあがった。

岸べにいたきょうりゅうたちも、そして海の上をとんでいた翼竜のプチも、びっくりぎょうてん、その大きなばけものに目をうばわれた。

それはつばさの長さが一二メートル、ほっそりと長い首の先に、するどくとがったくちばしをもつ、ジャンボ翼竜ケツァルコアトルスだ。うわさにきいてはいたが、このあたりでは、だれもがはじめて見る、空の王者のすがただ。

ケツァルコアトルスは、まっすぐに
海面にとっしんした。
そして、しずみかけたプテを
ひとかみしようとせまる
モササウルスを
めがけて急降下！

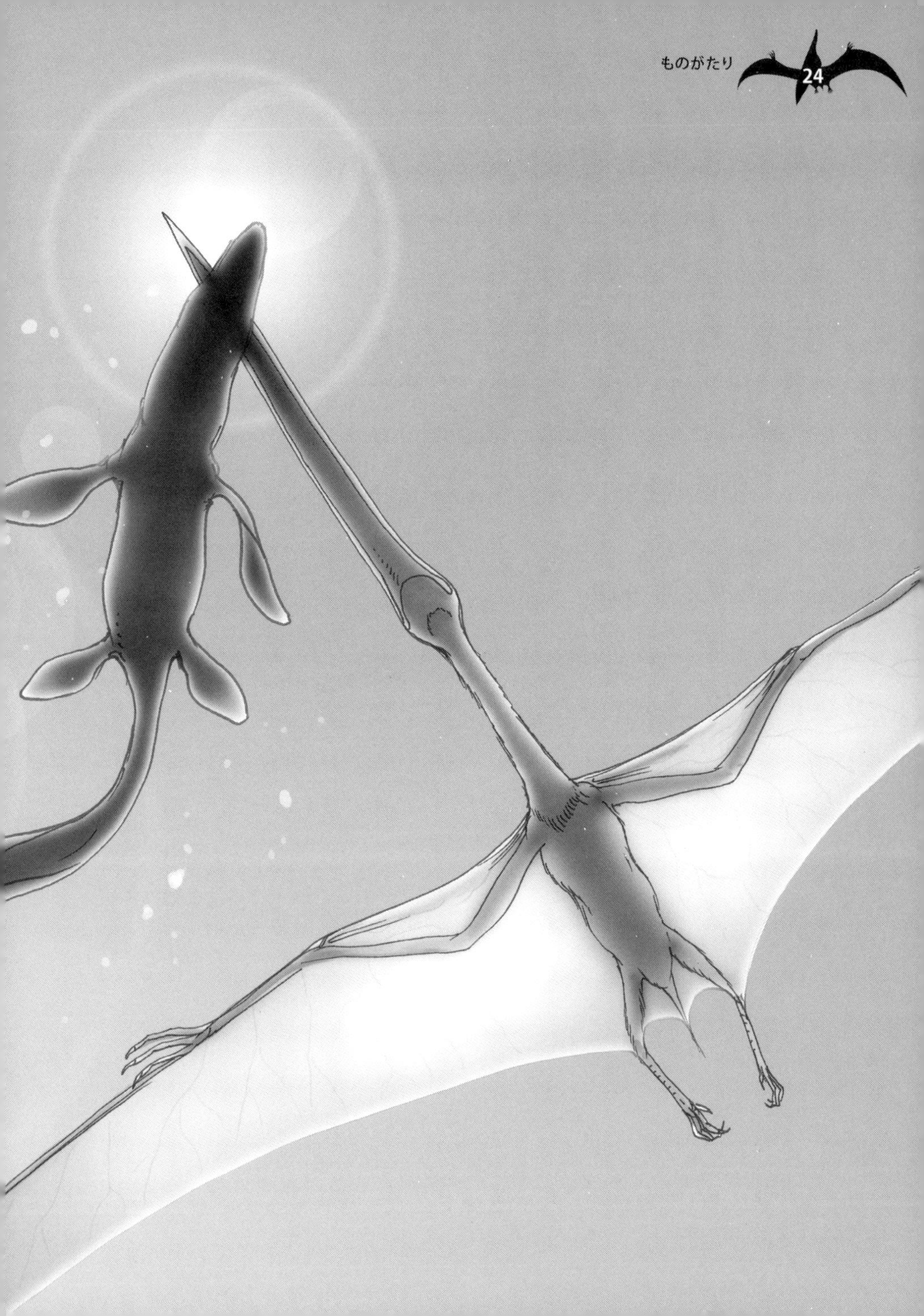

とがったするどいくちばしが、水にはいったとたん、モササウルスの目の玉を、ぐさりとつきさした。

そして、そのままモササウルスをつりあげると、ひゅーっと、空中にまいあがった。

目玉をつきさされたまま、モササウルスのからだは、空中でぴんぴんはねていたが、そんなことではびくともしない空の王者ケツァルコアトルスだ。モササウルスをくちばしでつきさしたまま高くとびあがると、岸べで見物をきめこんでいるきょうりゅうたちの上に、なげおとした。

なんとまあ、
それは、オルニトミムスの
おしゃべりかあちゃんの
頭(あたま)の上(うえ)に、ドシーン！
ムギューーッ！
オルニトミムスのかあちゃんは、
目(め)をまわして、その場(ば)にのびてしまった。
あたりにいた、きょうりゅうたちは、
いちもくさんににげだした。

王者のおしえ

海べの丘で、きょうりゅうたちは大さわぎ。そのあいだに空の王者は、おぼれていたプテをくわえて、岩場へひきあげてくれた。

気をうしなっていたプテは、息をふきかえし、目の前の王者を見た。

ぎょろんとした大きな目玉に、するどいくちばし。でっかいからだのケツァルコアトルスが、そこにいた。プテのとうちゃんの二倍はありそうな大きさだ。

プテの横に、プチもちょこんといた。

「グァーッ！（あぶないことは、やめるんだよ。ぼうや、いいかい）」

その声は、ズシーンとプテの頭のおくにひびいた。

「グワ！（ひと休みしたら、うちへ帰るんだよ）」

そういうと空の王者は、ゆっくりとつばさをひろげて、とびたとうとした。

「ガァ！（待って）」

とつぜん、王者に向かってプチがさけんだ。

「グワ！（どうしたい、おじょうちゃん）」

「ガガァ！（ね、おじさん、どっから来たの）」

「グワーッ！（遠いとおいところからさ）」

「ガガガ！（あたしたちを、おいていかないで）」

プチはとつぜん、そんなことをいった。

女の子って、人間もそうだが、ときどき、とてつもなく、びっくりするようなことをいうものだ。

「グワァー！（おいおい、わたしは、これから遠いところへ帰るんだ。きみたちをつれていくわけにゃいかんよ）」

「ガァー！（それなら、ちょっとでいいから、ぼくらに、とび方や、魚のとり方をおしえてください。ぼく、強くなりたいんだ。あなたのように……）」

プチの横からプテがいった。プテはしんけんな目で、ケツァルコアトルスの顔を見つめていった。

「グワーッ！（よかろう。ほんのすこしなら、つきあってあげよう。しかし、ベソをかいてにげだしても知らんぞ）」

「ガァア！（にげだしたりなんかしません。ぼく、強くなりたい）」

「クワワッ！（よろしい。さあ、それじゃ、わたしが空へまいあがったら、うしろからわたしの足にしっかりつかまって、とびなさい)」

そういうとケツァルコアトルスは、岩の上でさっとつばさをひろげ、そのまま谷のほうへ、すーっとすべるようにとんだ。

プテもプチも、王者のあとから、谷へ向けてとんだ。

谷の中ほどまですべりおりた王者のつばさはひるがえり、あざやかなさばきで上空へ、そしてみごとに風にのった。

プテもプチも、王者にならって、つばさをひるがえした。だが王者ほどうまくはいかない。ようやくのことで風にのり、王者のあとから、上空へまいあがった。

「グワーッ！（さあ、ふたりとも、わたしの足をしっかり口にくわえて、つかまりな。どんなことがあっても、はなすんじゃないよ！）」

王者は、うしろをふり向き、大声でふたりにいった。

プテとプチは、いわれるままに、うしろにのばした王者の足を、それぞれ、しっかりとくわえた。

「グワワーッ！（それっ、行くぞ！）」

王者（おうじゃ）はさけぶと、ぐんとスピードをあげた。
風（かぜ）がびゅんびゅん、うなりをあげる。

ぐーんと、上空へまいあがったかと思うと、そのままさかおとし！

プテもプチも目がまわった。だが、いわれたとおり、王者の足をしっかりとくわえて、はなさなかった。

王者は、広いひろい大空を、自由自在にとんだ。

そして、ふたりにつばさのうごきをおしえた。

風の流れをどうつかまえてとぶかを、王者は、ふたりにしっかりとおしえた。急降下や急上昇、ちゅうがえりのわざを、じっさいに見せてくれた。

一日目、夕方になると、ふたりはもうふらふらで、

立っていることもできないくらいつかれた。

でも、プテもプチも、弱音をはかずにがんばった。

思えば、プテやプチのとうちゃんやおとなたちは、こごとをいうばかりで、なにひとつおしえてくれたことはなかった。だが、王者はちがう。

空で生きることのきびしさをおしえ、そして、どうやってとぶかを、自分のからだでおしえてくれた。

二日、五日、一〇日たった。

プテもプチも、見ちがえるほど、とぶのがうまくなった。海や川にいる魚を、みごとにつかまえるわざも、身につけた。

王者は遠い空のかなたへ

「グヮワーッ！（さあて、わたしはそろそろ、きみたちとおわかれしなきゃならん。あとは、きみたち自身で、わざをみがき、だれにもまけない、空の勇者になることだ）」

王者はふたりに、そんなおわかれのことばをいった。

「ガァーッ！（おねがいです。ぼくたちをいっしょに、つれていってください）」

プテは、ひっしで王者にたのんだ。

「グワッ！（ならん。わたしの
行くところは、遠いとおいところだ。
きみたちは、なかまのところへ帰り、
大空を守れ！）」
王者はりんとした声で、さとすように
いった。と、そのとき、岩場のすぐそばの
森から、なにやらさわがしい声が流れてきた。
そして、一ぴきのトリケラトプスの子どもが、
森からとび出してきた。
そのあとを、あのおそろしいティラノサウルスが、

大きな足音をたてて、せまってくる！

あぶない！　岩場にいたケツァルコアトルスは、

さっと、つばさをひろげて、とびあがった。

そして、いまにも、トリケラトプスの子どもを

つかまえようとした、あばれんぼうティラノサウルスの

目の前へ、さーっとまいおりたのだ。

「ガオーッ！」

びっくりしたあばれんぼうは、いっしゅんひるんだ。

巨大なかげが、上空からおそいかかったからだ。

ケツァルコアトルスのつばさは、ひくく地面をかすめ、

ナイフのようにとぎすまされた、するどいくちばしは、あばれんぼうの鼻(はな)をざっくりときりさいた。

「ガオオオー」

いかりくるったあばれんぼうは、するどいきばをたて、王者(おうじゃ)のつばさめがけて、くらいついた。

だが、それよりもいっしゅん早(はや)く、王者(おうじゃ)のすがたは、さっと上空(じょうくう)にまいあがった。

ぐんぐん、ぐんぐん、まいあがった。

ガオォーッ！　あばれんぼうは、そっくりかえり、大空(おおぞら)をにらんでほえた。

ところが、高い空にまいあがった
空の王者ケツァルコアトルスは、
こんどは、つばさをすぼめ、
まるで矢のような速さで、
まっすぐ、あばれんぼう
めがけてつっこんできた。
「ギャアーッ！」

はげしい、あばれんぼうのひめい！　空から真一文字におりてきた王者のくちばしは、あばれんぼうの左の目玉をえぐり、赤い血がパッと、あたりにとびちった。

ヒューッ！

あっというまに、あざやかなとんぼがえり。王者はふたたび高い空へ向かい、つばさをひろげてとんだ。

「グワーッ！（やったあ！）」

プテもプチも大よろこび。われをわすれてさけんだ。

さすがのあばれんぼうも、目玉をえぐりだされてはかなわない。顔じゅう血まみれになりながら、コソコソ、コソコソ……森の中へにげこんだ。
あぶなく、子どもをあばれんぼうに
食べられそうになったトリケラトプスの
とうちゃん、かあちゃん、そして
なかまたちは、子どもをかこんで大よろこび。
「ゴッ、ゴッ、ゴッ、ゴッ！（よかったよかった。
それにしても、あの大きな空のばけものは、
いったいなにさまだ）」
トリケラトプスのとうちゃんは、高い空をとぶ、
ケツァルコアトルスを見あげていった。

「ゴゴゴゴゴ……（遠い海べに、でっかい空の王者がいるってきいてはいたが、おそらくそれかもしれん……）」

トリケラトプスのじいさまが、しみじみとした声でいった。

高い空にまいあがった王者は、こんどはゆっくりと、岩場のほうへおりてきた。岩場ではプテとプチが、ほこらしげに王者を待ちうけていた。だが王者は、岩場の上空まで来ると、ふたりに向かって大声でさけんだ。

「グワーッ！（ふたりとも元気でな！）」

王者はふたりの上を、輪をかいてまわりながら、

二ど三ど、大きなつばさをふって、
わかれのあいさつをおくった。
「ガーッ！（待って、まって
くださーい！）」

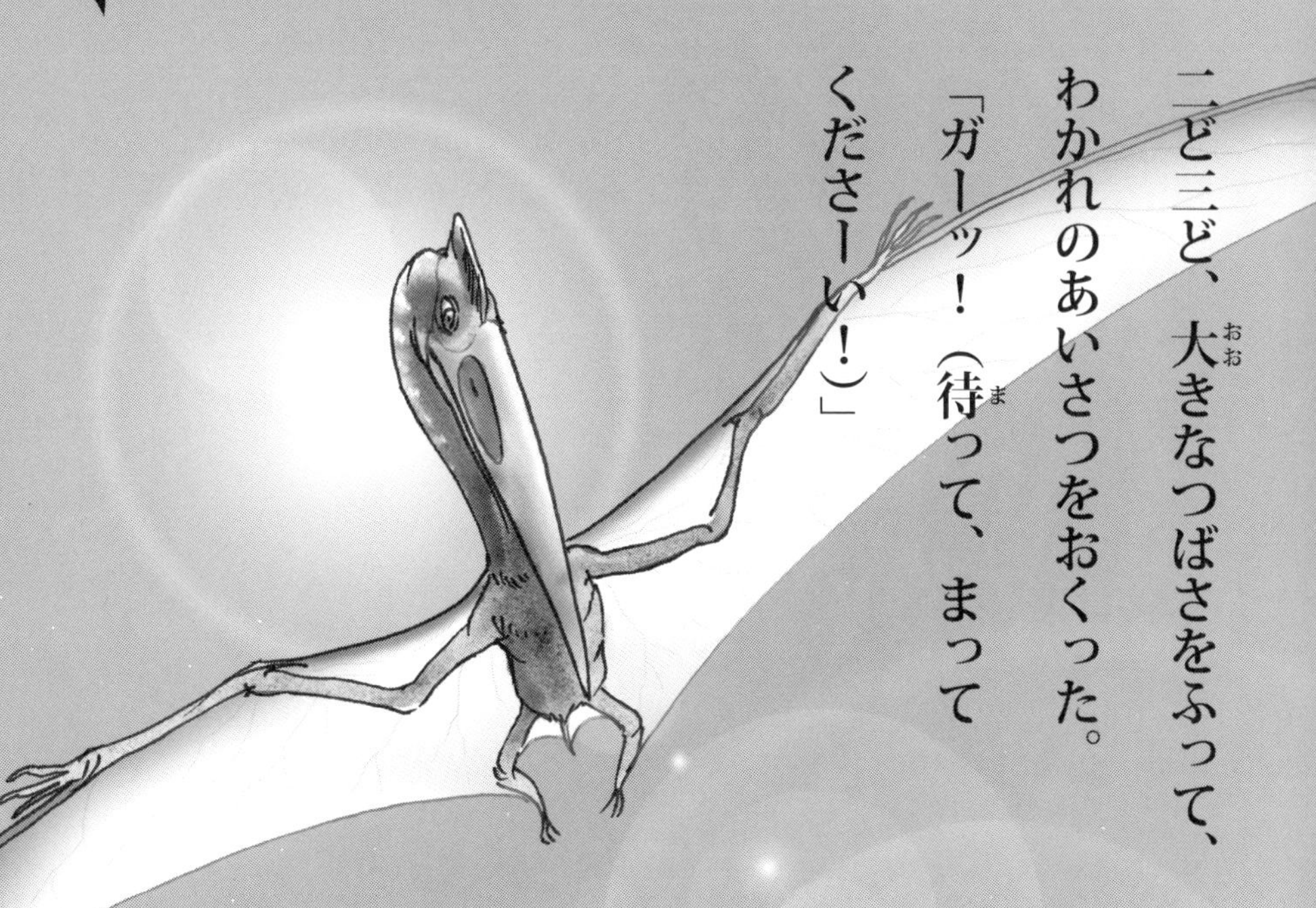

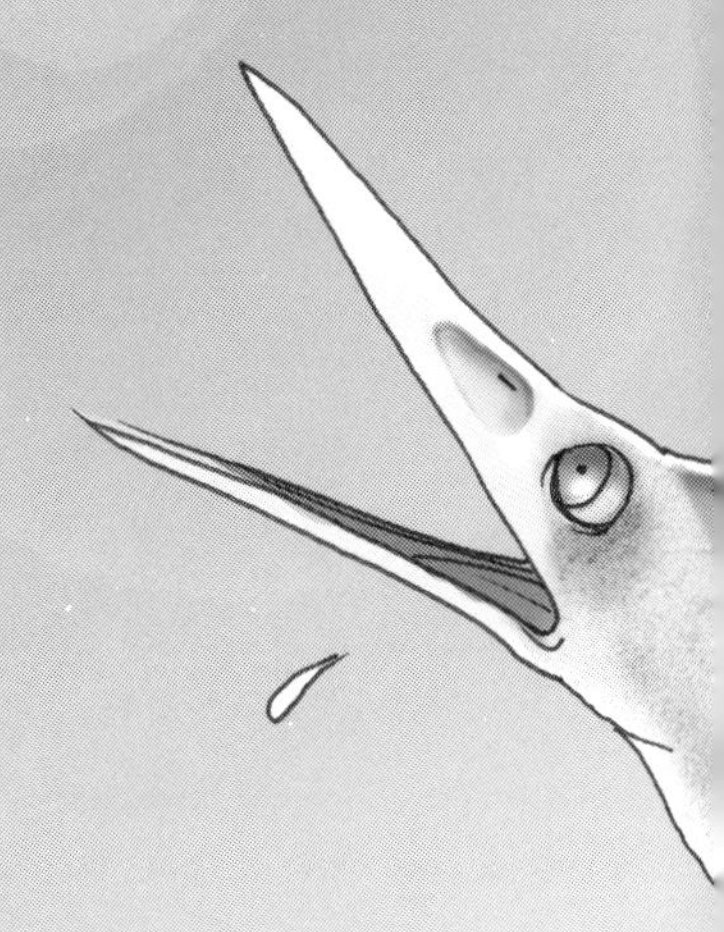

プテとプチは大あわて。いそいで空へ向かってとんだ。

だが、そのとき王者は、ものすごい速さで、空のかなたへ真一文字にとびさっていた。

「ガァー！（お元気で！）」

「ガァーッ！（また、来てくださーい！）」

プテとプチは、はるかかなたに小さくなっていく、空の王者ケツァルコアトルスに向かって、心のそこからさけんだ。

おりから、王者のさっていく西の空をそめながら、大きな太陽がまっ赤にかがやいていた。

なぞとき 大空(おおぞら)をかけた翼竜(よくりゅう)たち

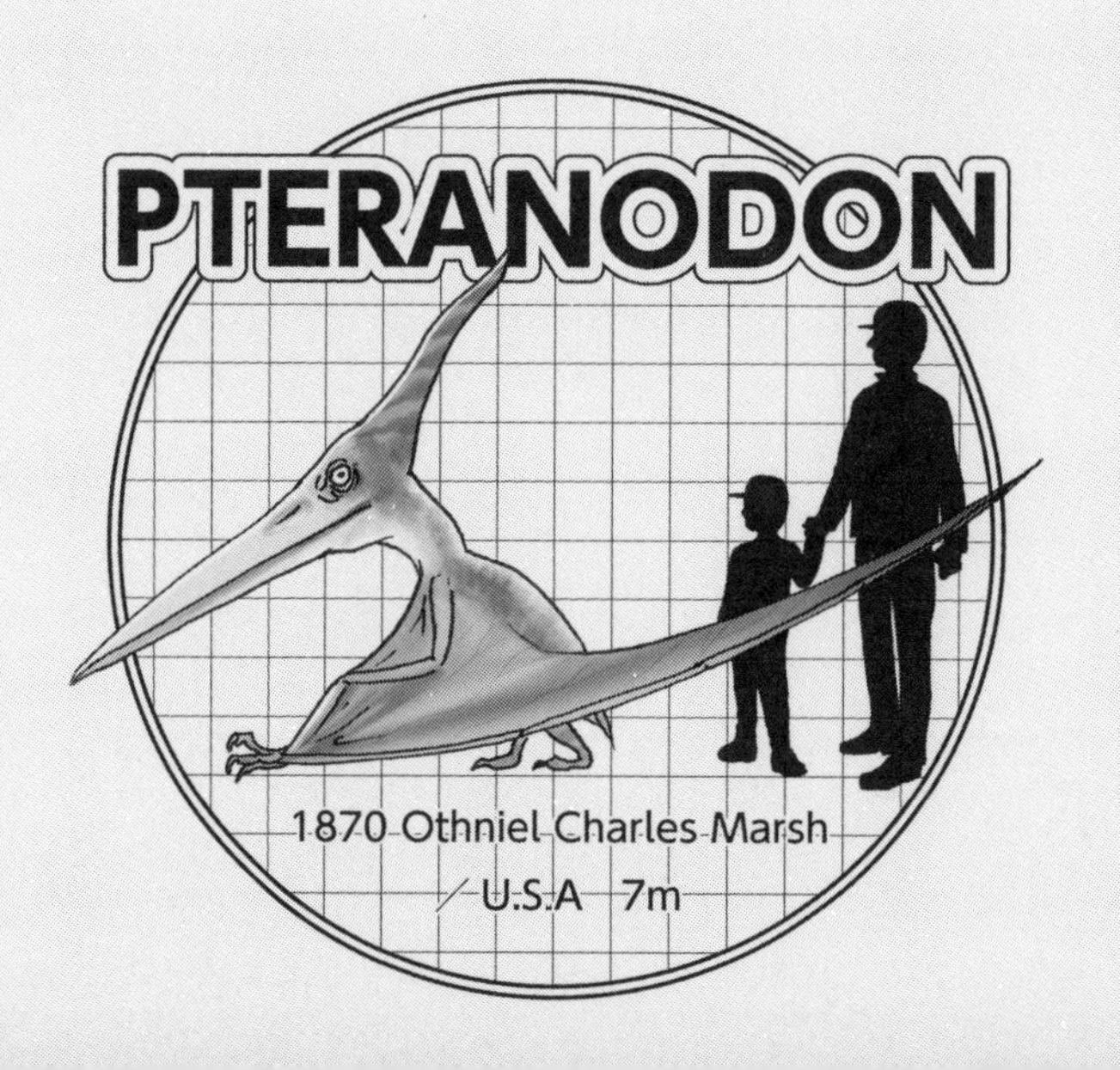

空を飛んだ生きもの

空の王者ケツァルコアトルスと、その教えをうけた、プテラノドンのプテとプチのものがたりは、いかがでしたか。

いつものことながら、このものがたりは、あくまでも想像上のできごとで、じっさいにそうだったかどうかはわかりません。

これまでに発見された化石をとおして、古生物学者たちがけんきゅうしてきたことがら

きょうりゅう と その他の は虫類の違い

きょうりゅうの足は胴体からまっすぐ下にのびています。

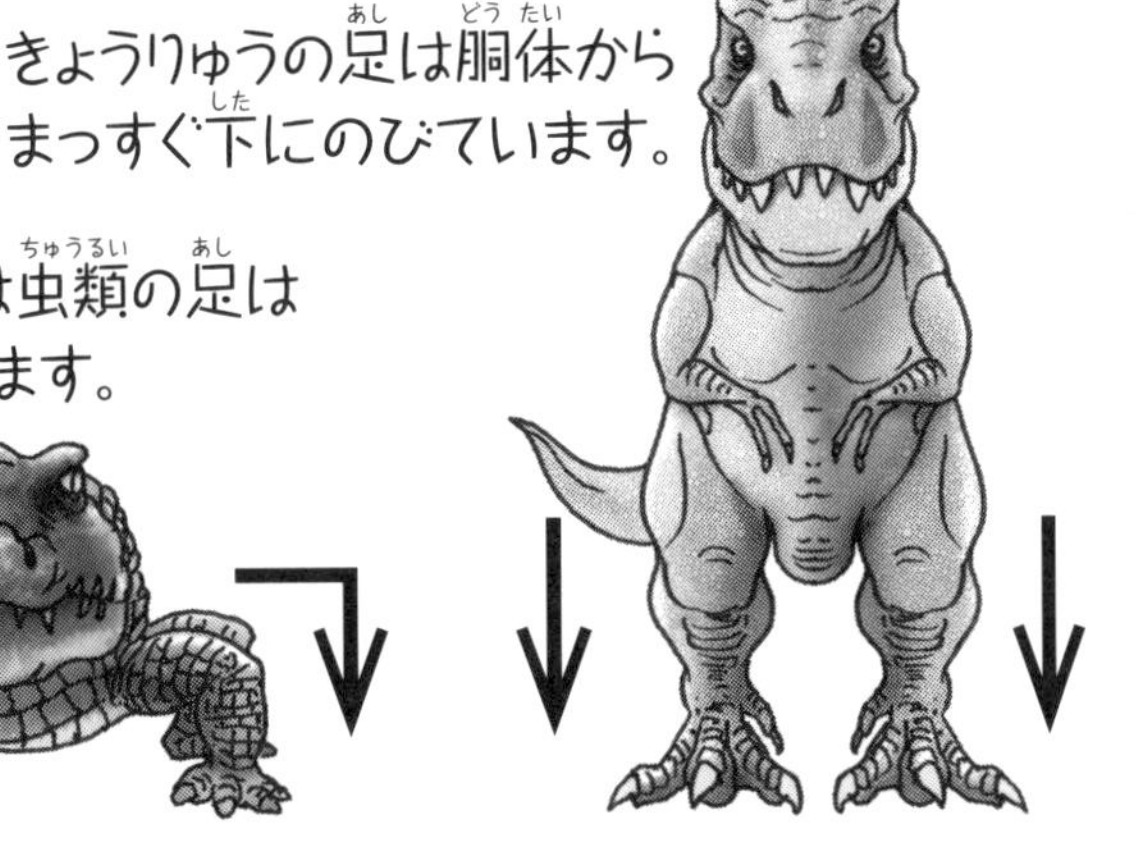

きょうりゅう以外の は虫類の足は胴体から横に出ています。

をもとに、ときにはホラとも思えるドラマを、お目にかけたわけです。

さて、この地球上に、きょうりゅうが陸の王者としてさかえていた、いまから二億年前(三畳紀)から、六五〇〇万年前(白亜紀)には、空には翼竜という王者が、そして海には海竜とよばれる王者たちがいました。

海竜については、このシリーズの『フタバスズキリュウ』にゆずることにして、ここでは、空の王者、翼竜について話を進めていくことにしましょう。

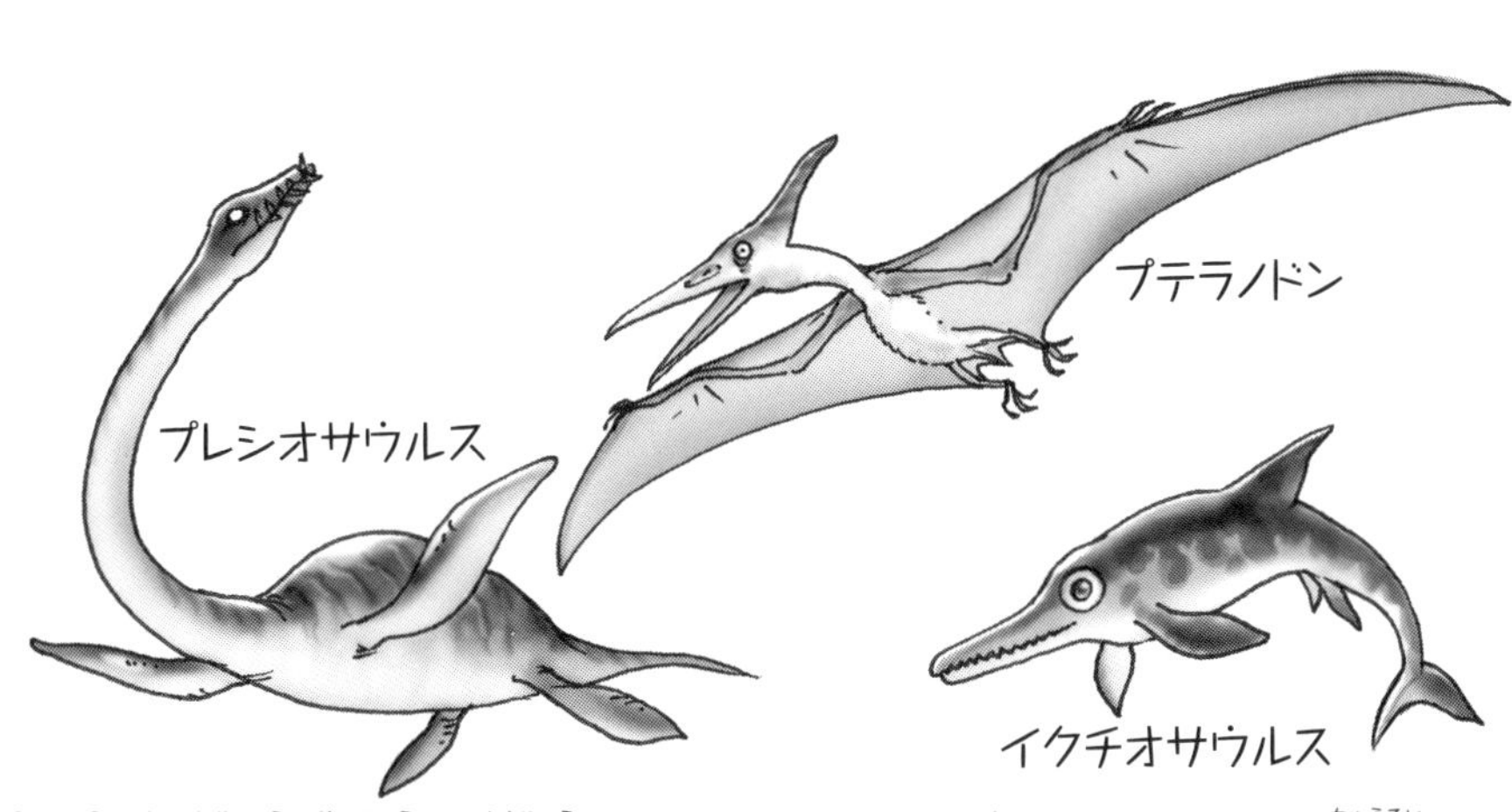

海竜(首長竜・魚竜)と翼竜は きょうりゅうとは別グループの は虫類です。

翼竜は、その名がしめすように、翼をもち、空を飛ぶことができました。

じつは、きょうりゅうの時代には、空を飛ぶ生きものは、翼竜だけではありませんでした。いまの鳥の祖先にあたる、始祖鳥のような生きものもいました。

翼竜と始祖鳥のちがいは、始祖鳥は前足全体が翼をささえる柱になっていました。それにたいして、翼竜の前足は五本指で、第五番目の指は小さくなってしまい、四番目の指が、ぐんとのびて、その指と体のあいだに、ひら

羽根

始祖鳥の翼は
腕の骨に直接“羽根”が
ついていました。

ひらのまくができていて、翼になっていたのです。

始祖鳥も翼竜も、そのいちばん古い祖先については、まだよくわかっていません。しかし、ひとつの考え方は、翼竜や鳥の祖先にあたる生きものは、はじめはムササビのように、前後の足と体の両わきの、ひらひらしたまくをひろげ、木の枝を飛びうつっているうち、長い年月のあいだに、空を飛べる体のつくりになったというものです。

ロシアで発見された、二億年前（三畳紀）

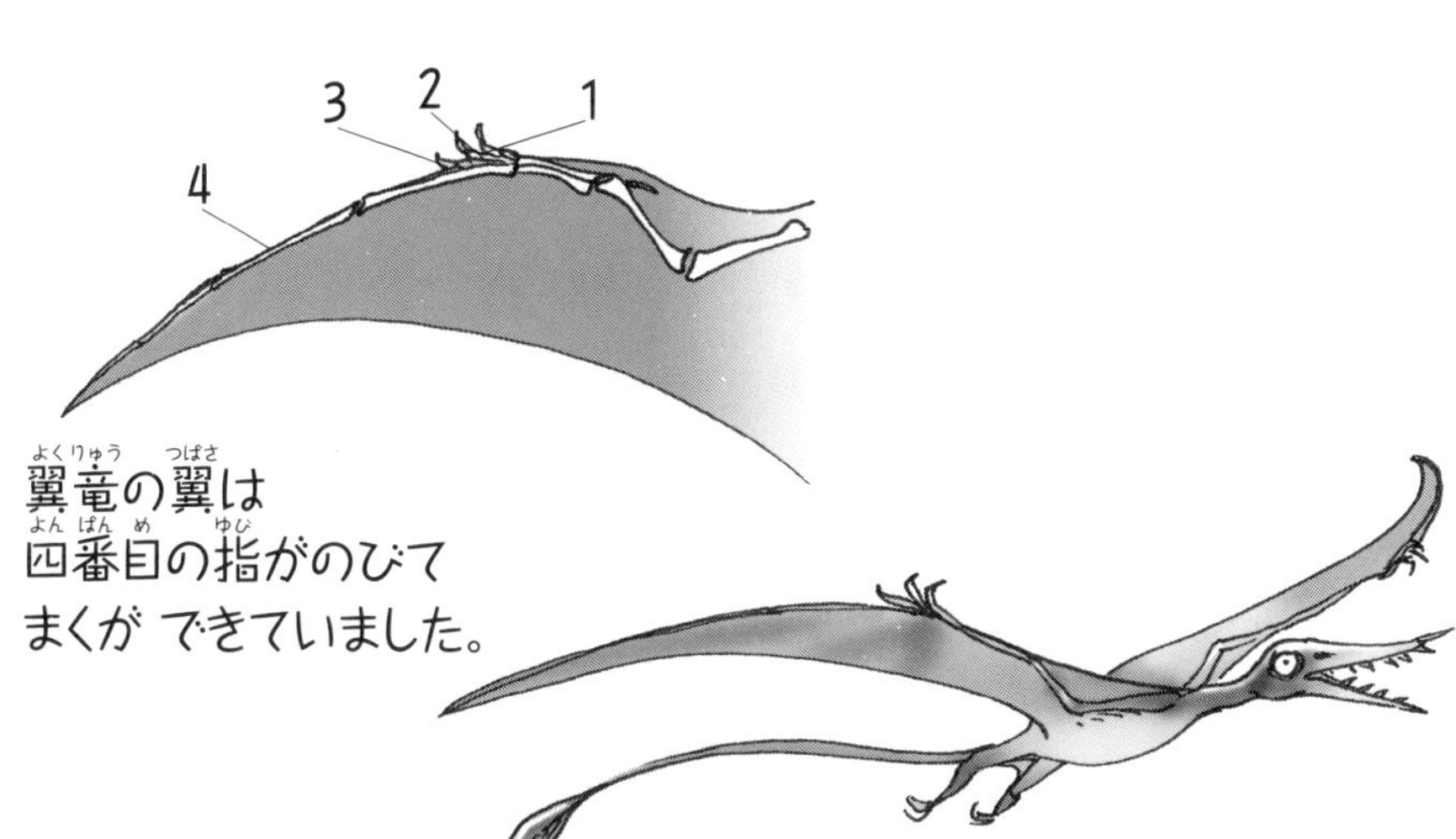

翼竜の翼は
四番目の指がのびて
まくが できていました。

翼竜(よくりゅう)でも鳥類(ちょうるい)でもない、空(そら)飛(と)ぶ生(い)きものたち

のシャロヴィプテリクスは、そんな生きものので、古生物学者の中には、翼竜や鳥の祖先だと考える人もいます。

べつの考え方は、体が小さく、うしろ足だけで、体のバランスをとってうまく走るために、前足をひろげているうち、前足がだんだん翼になっていったのだという考えです。

ざんねんながら、この二つの説をうらづけるような化石はまだ見つかっていません。

二億一五〇〇万年前（三畳紀）のもっとも古いとされる翼竜エウディモルフォドンでさ

え、ちゃんとした翼がありました。

　この本のシリーズ第五巻『マメンチサウルス』の中でものべたように、地面をかけまわっていた（二足歩行）きょうりゅうから、翼竜や鳥になったというのです。


　中国では、尾羽鳥、原始鳥、中華竜鳥、孔子鳥など、鳥の祖先にあたる化石がつぎつぎに見つかっていますが、発見された化石には、羽毛のついた翼がありました。

　そんなわけで、祖先さがしのすべては、こ

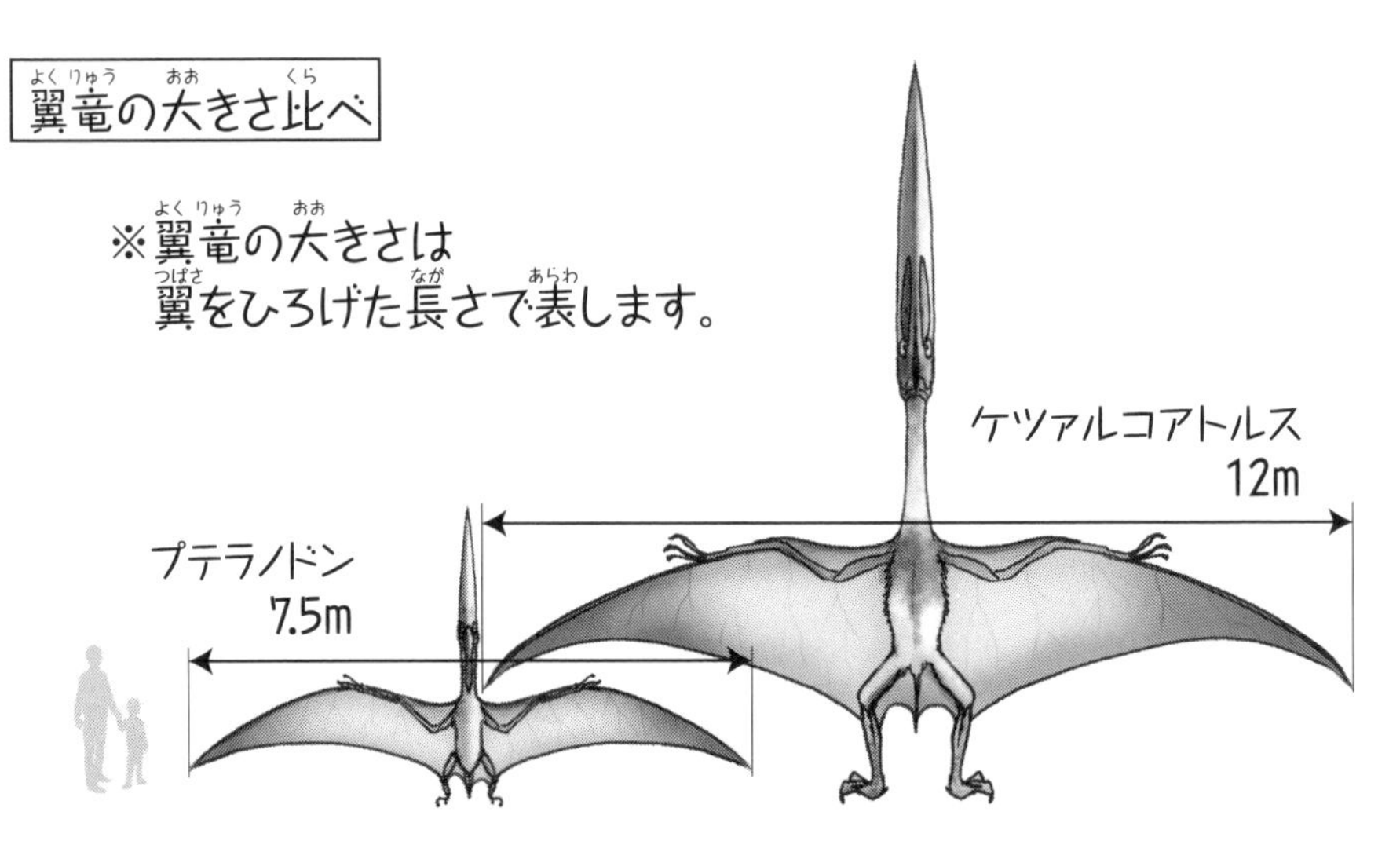

れからの新しい発見にかかっているといえるでしょう。

翼竜の化石は、地球上の各地から発見され、一二〇もの名まえがついていますが、大きいのは、翼をひろげると一二メートルのものから、小さいのはスズメほどのものもいました。

①エウディモルフォドン
②ランフォリンクス
③ディモルフォドン
④プテロダクティルス
⑤プテラノドン

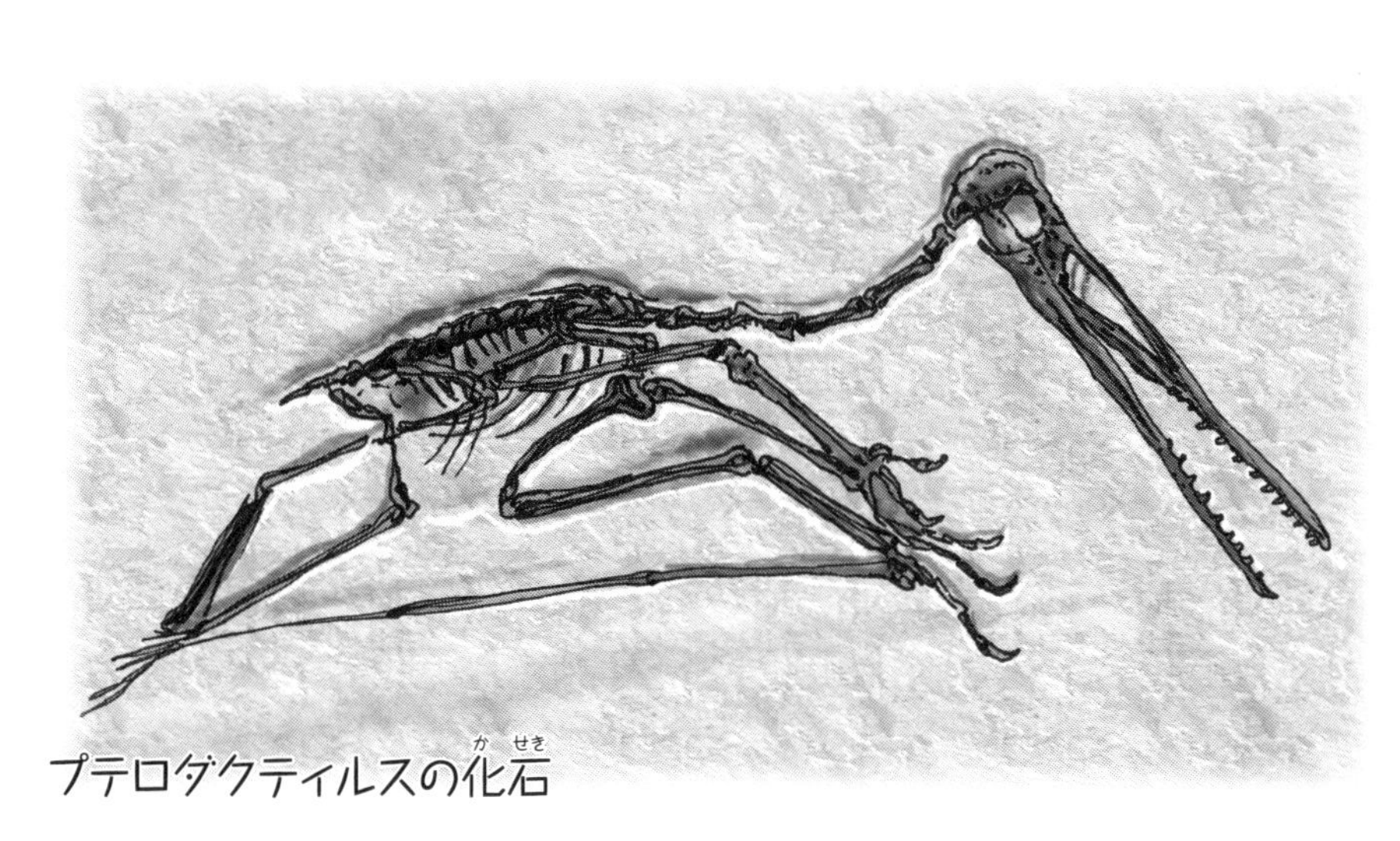
プテロダクティルスの化石

⑥ケツァルコアトルス

以上は、翼竜の代表選手たちです。

それでは、くわしく見ていきましょう。

①エウディモルフォドン

これまで見つかっている翼竜の中では、もっとも古い三畳紀の化石で、イタリアで発見されました。

先のとがった頭骨に大きな目玉、長さわずか八センチメートルのあごの上下には、形のちがった一一四本の歯がありました。

首も胴もみじかいわりには、ひろげるとお

エウディモルフォドンの復元模型

よそ一メートルの翼をもち、空を飛び、魚をとって食べたと考えられています。

化石の腹に魚のウロコがのこっていたことから、古生物学者は、「この翼竜は、翼をたたんで、体にぴったりとつけ、いっきに水中に飛びこんだだろう」といっています。

②ランフォリンクス

翼をひろげたランフォリンクスは、小さなもので四〇センチ、大きくても二メートルに足りないほどでした。

化石はイギリス、ドイツ、タンザニアなど

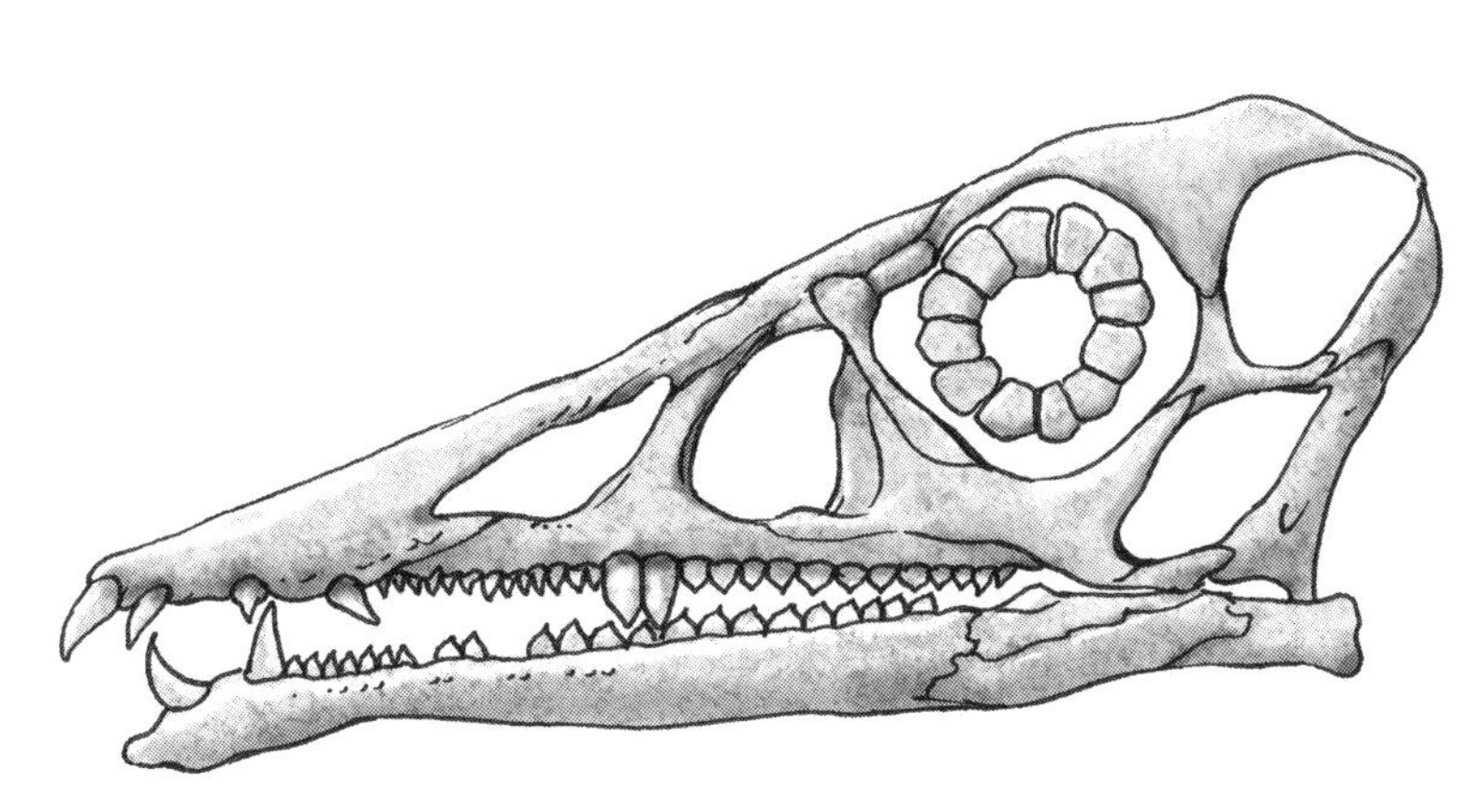

エウディモルフォドンの頭骨

で発見されていますが、ドイツ・バイエルン地方、ゾルンホーフェンの石灰岩採掘場で発見された化石には、やわらかい組織のあとまでくっきりとのこされていました。

細長い頭には、するどい歯が上下にならび、胸の骨はがんじょうなつくりで、翼をささえるのにかなっていました。

長い尾の先には小さなひらひらしたまくがありました。飛行機でいえば方向舵にあたります。

また翼は、飛行機の翼とおなじ弓型の反り

ランフォリンクスの復元模型

があり、空中をたくみに飛んで、魚を発見すると急降下し、くちばしを海中につっこんだまま飛ぶことができただろうと、古生物学者たちは考えています。

③ディモルフォドン

イギリスで発見された、およそ一億五〇〇〇万年前（ジュラ紀）の翼竜です。

この翼竜は全長約一メートル、翼をひろげた長さは一・四メートルほどで、大きな頭と長い尾をもっていました。

とくにうしろ足が発達していたので、アメ

ディモルフォドンの復元模型

リカの古生物学者パディアンは、ディモルフォドンを、うしろ足だけで走る、いまの鳥のようなすがたで復元してみせました。

ところがその後、多くの学者たちによるけんきゅうの結果、うしろ足だけではなく、翼についた指も地面につけ、体をささえるようにして、歩いたり走ったりしただろうと考えられるようになりました。

④プテロダクティルス

「プテロダクティルス」（「翼の指」という意味）は、前にのべたランフォリンクスとおな

うしろ足だけで走るディモルフォドンのイメージ

じく、ドイツのバイエルン地方で発見されたジュラ紀の翼竜です。世界ではじめて発見された翼竜として有名になりました。

　プテロダクティルスは、ランフォリンクスやディモルフォドンとちがい、大きなものでカラスくらい、小さなものではスズメくらいのものもいました。

　頭の骨は細くて長く、首も長いのに、尾はほとんどなく、かれらのおもな食べものは昆虫ではなかったか、といわれています。ときには水面にまいおりてきて、小さな魚などを、

プテロダクティルスの復元模型

とって食べたのかもしれません。

⑤プテラノドン

さて、いよいよ、この本のドラマの主人公プテラノドンの登場です。

プテラノドンは、アメリカで発見されたおよそ七〇〇〇万年前（白亜紀）の翼竜で、翼をひろげると七〜八メートルほどもありますが、しっぽはありません。

なんといっても、大きなとくちょうは、頭のうしろの長くのびた、とんがり（トサカ）です。この長いトサカは、しっぽにかわって、

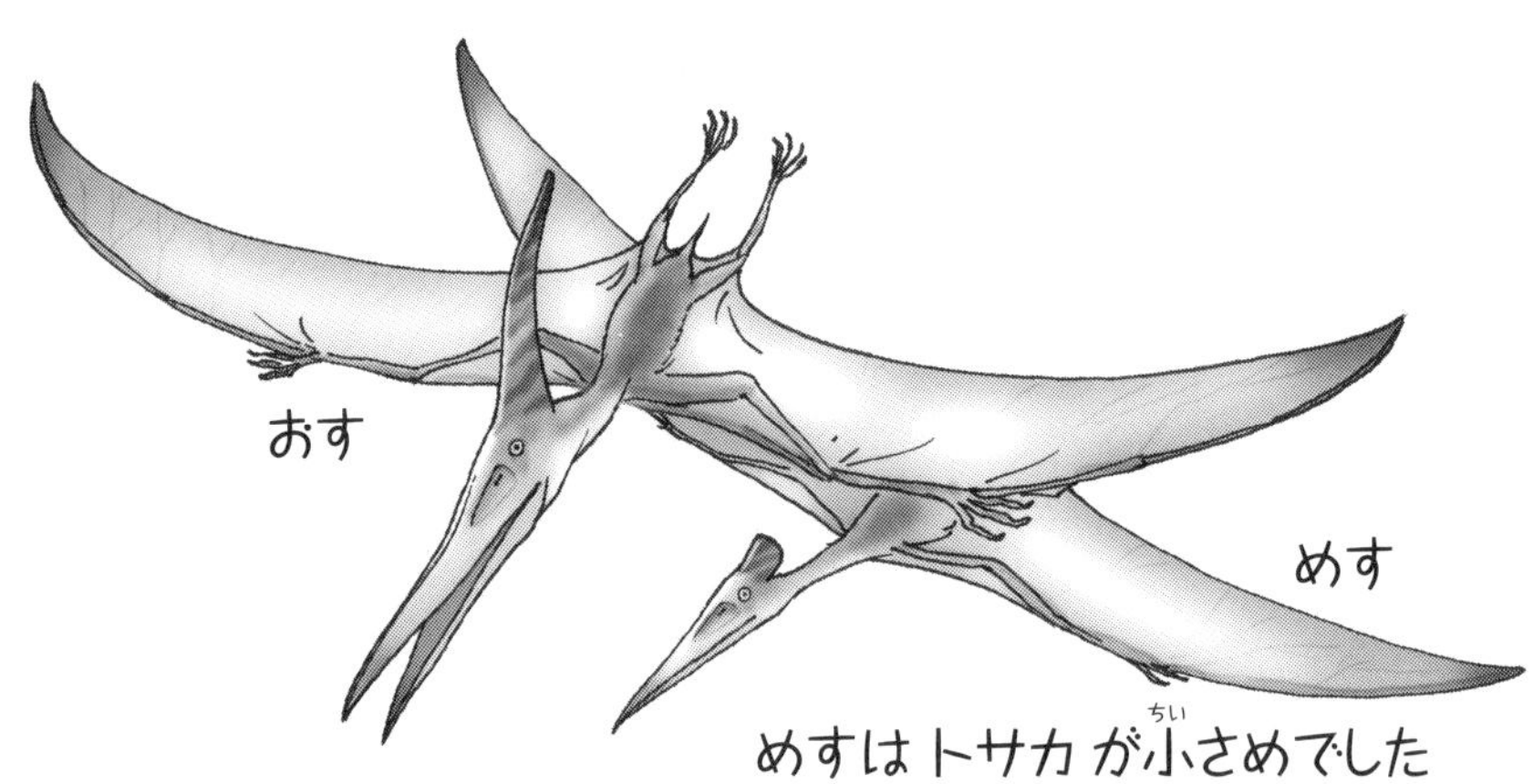

おす
めす
めすはトサカが小さめでした

プテラノドンの復元模型

飛行中に方向をかえる、かじの役目をはたしたという説と、着陸のときのブレーキだった、という説がありますが、トサカの大小によって、おす・めすのちがいをあらわしている、という考えもあります。

細長くするどくとがったくちばしには、歯はありません。この歯のない下あごには、いまのペリカンのように、ふっくらとしたひふのふくろがあり、つかまえた魚を、たくわえることができたのではないか、といわれています。

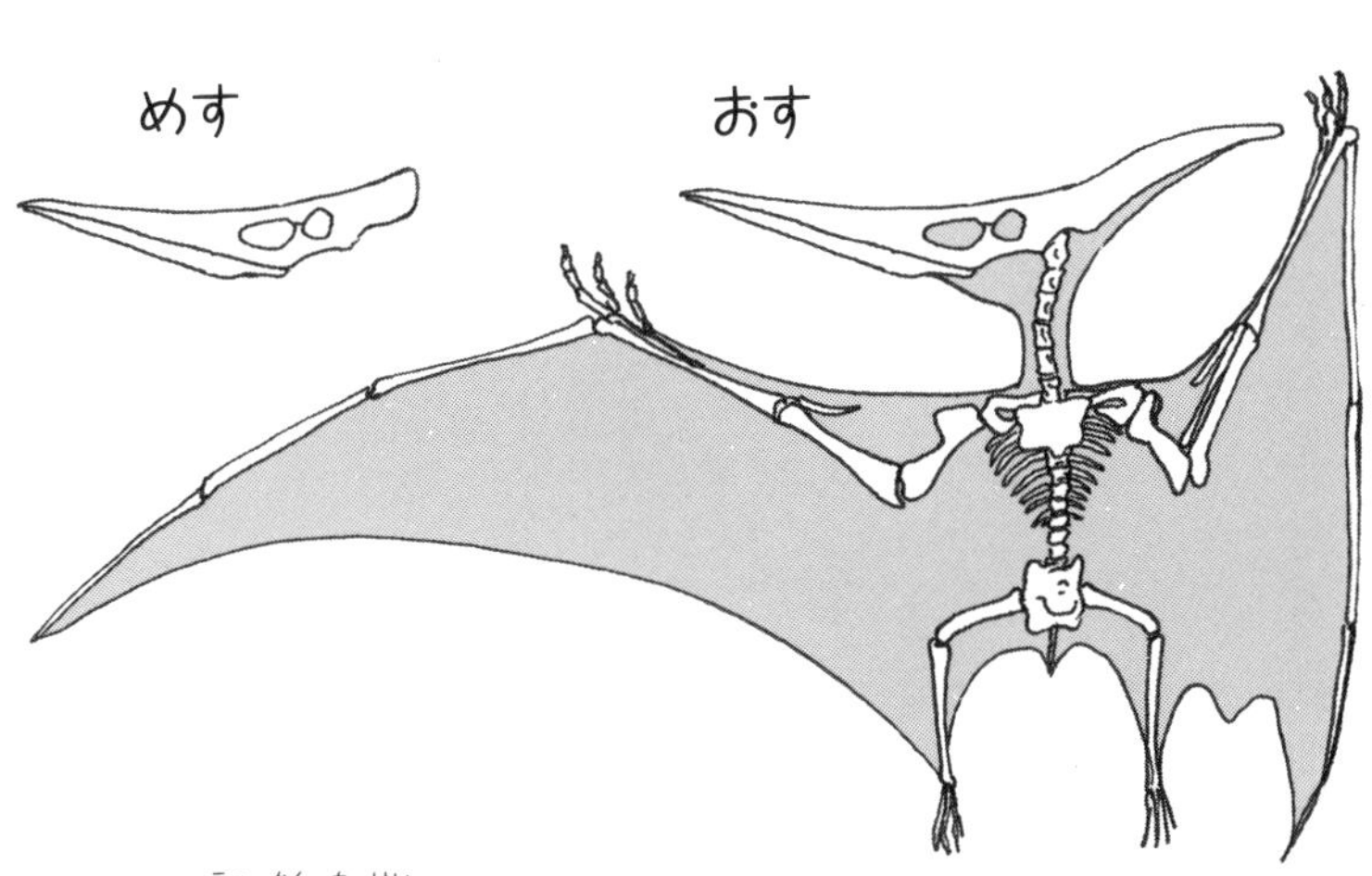

プテラノドンの骨格模型

海上をふく風をたくみにとらえ、グライダーのように飛び、かなり遠い海まででかけて、魚をとってくらしていたことが、発見された化石からもあきらかになっています。

⑥ケツァルコアトルス

最後は、この本のものがたりで、「空の王者」として登場したケツァルコアトルスです。

ケツァルコアトルスが最初に発見されたのは一九七一年、メキシコの国境に近い、アメリカ・テキサス州にあるビッグ・ベンド国立公園の白亜紀後期の地層からです。

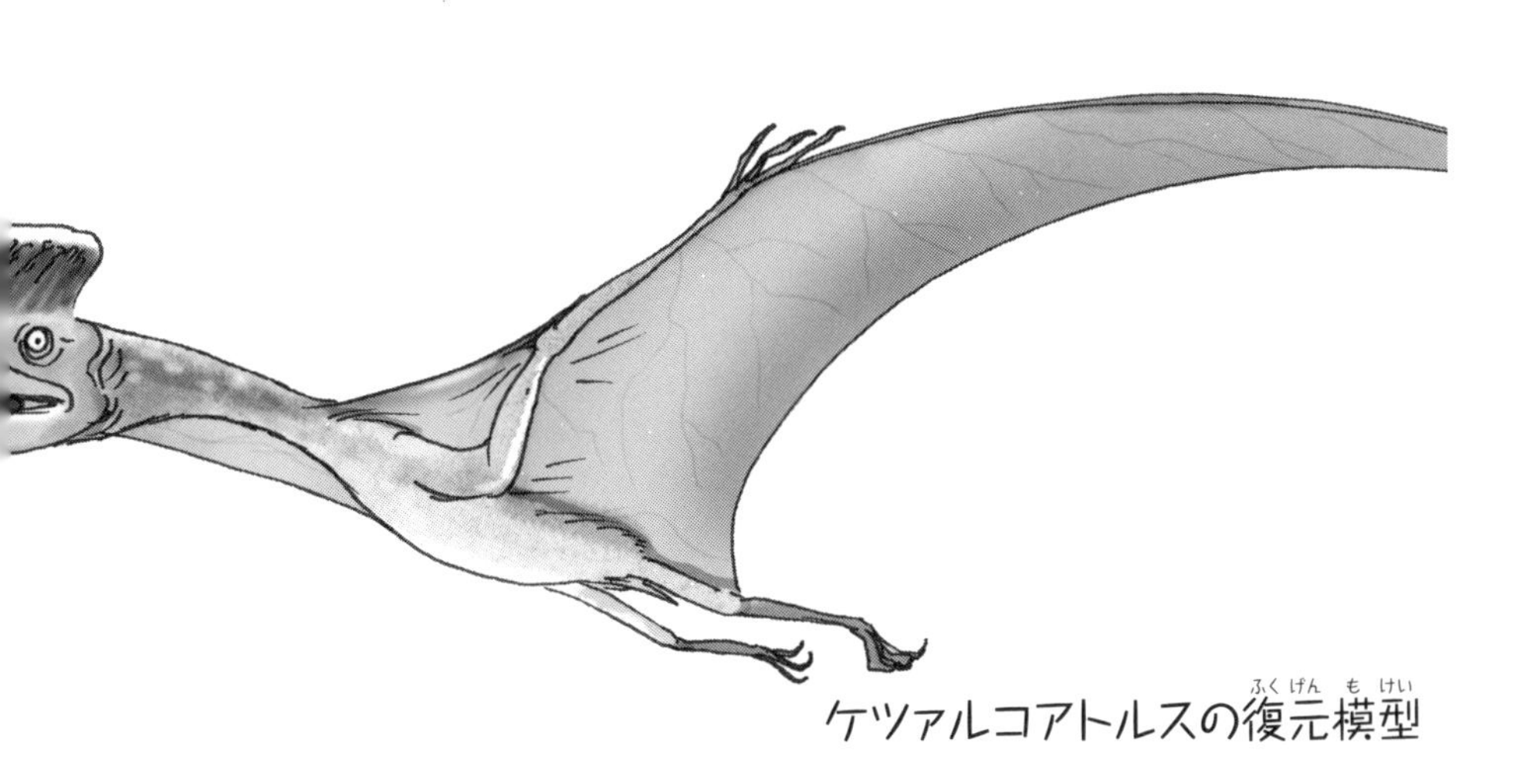

ケツァルコアトルスの復元模型

その骨は想像をこえる大きさで、三年がかりで発掘した、テキサス大学の学生ダグラス・ラーソンくんも、びっくりするほどでした。翼をひろげた長さが、一二メートルと巨大で、いまの小型飛行機ほどもあったのです。

はたして、こんなに大きな体で、飛べたのだろうか……と、だれもが首をかしげました。

この、おどろくほど巨大な翼竜は、発見地がメキシコとの国境だったので、古代メキシコ神の名をとって、「ケツァルコアトルス」（翼のはえたヘビ）と名づけられました。こ

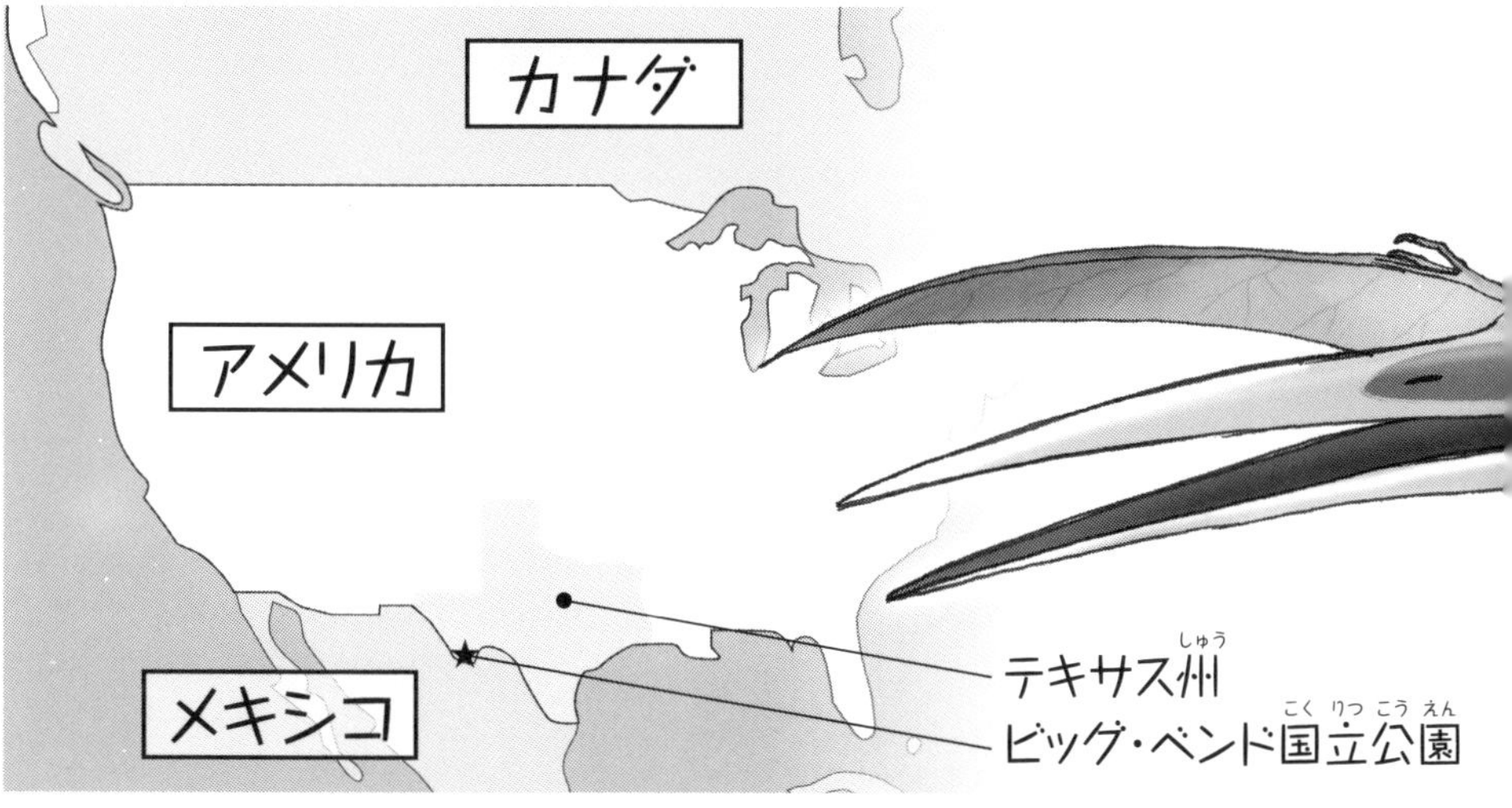

カナダ
アメリカ
メキシコ
テキサス州
ビッグ・ベンド国立公園

れまでで最大の翼竜といわれています。

ところがその後「アランボウギアニア」や「ハツェゴプテリクス」という翼竜が発見されて、その地位があぶなくなっています。どちらも翼をひろげると一二メートルをこえるといわれていますが、化石が少ないのでまだよくわかっていません。

いじょう、六つあげた翼竜のほかに、アジアでは、中国で「ズンガリプテルス」という翼竜が発見されています。

ズンガリプテルスは、新疆ウイグル自治区

ケツァルコアトルスは大きすぎるため、
ほとんど飛ばずに水辺で
暮らしていたという説もあります。

の準喝爾というところで発見されたために、その地名をとって名づけられました。白亜紀前期にいた翼竜で、翼をひろげると、およそ四メートルあり、あごの先が、ちょうどピンセットのように、細長くとがっていたのがとくちょうです。

翼竜の体のしくみ

これまで、スズメほども小さいプテロダクティルスから、小型飛行機ほどもあるケツァ

ズンガリプテルスの復元模型

ルコアトルスなどの、翼竜のなかまをしょうかいしました。

さて、大きな問題は、これらの翼竜たちが、どんな飛び方をしたか、ということです。

翼があるいじょうは、空を飛んだことはいうまでもありません。しかし、飛び方にもいろいろあります。

グライダーのように、気流にのって、ふんわりと空をすべるようにして飛んだのか、それとも、飛行機のように、ちゅうがえりや、さかおとしなど、その翼を使って、自由自在

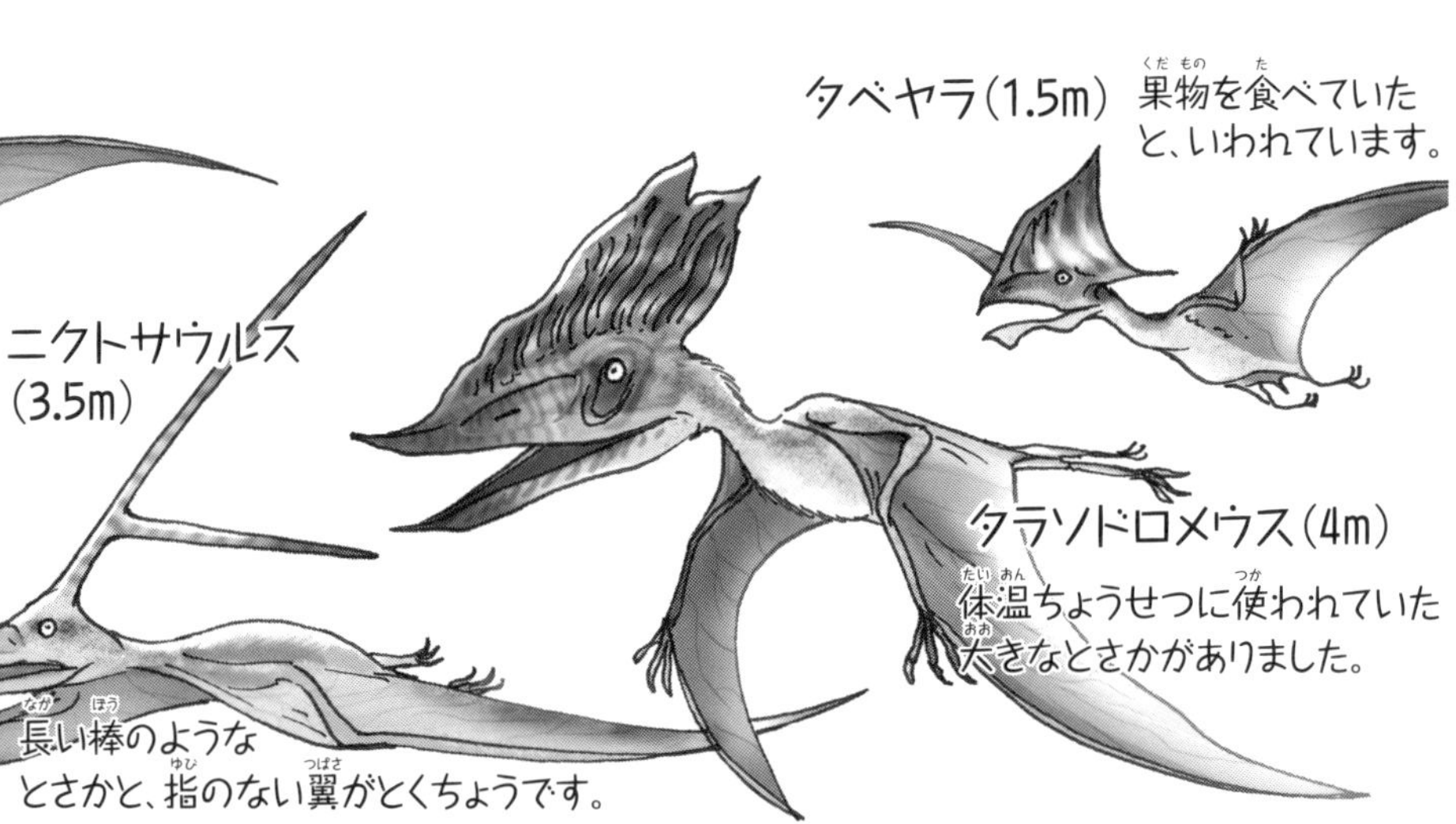

タペヤラ(1.5m)
果物を食べていたと、いわれています。
ニクトサウルス(3.5m)
長い棒のようなとさかと、指のない翼がとくちょうです。
タラソドロメウス(4m)
体温ちょうせつに使われていた大きなとさかがありました。

に飛んだのかでは、ずいぶんちがいます。

この本のものがたりでは、ケツァルコアトルスや、プテラノドンが、かなり自由に空を飛んだことがえがかれています。

じつは、あくまでも想像でえがいたことで、はたして、そうだったかどうかはわかりません。ものがたりをたのしくするために、いくぶん大げさなところもあります。

もちろん、まったく空想のでたらめというわけではありません。翼竜は、かなり活発に空を飛びまわった、と考える古生物学者たち

その他の翼竜たち

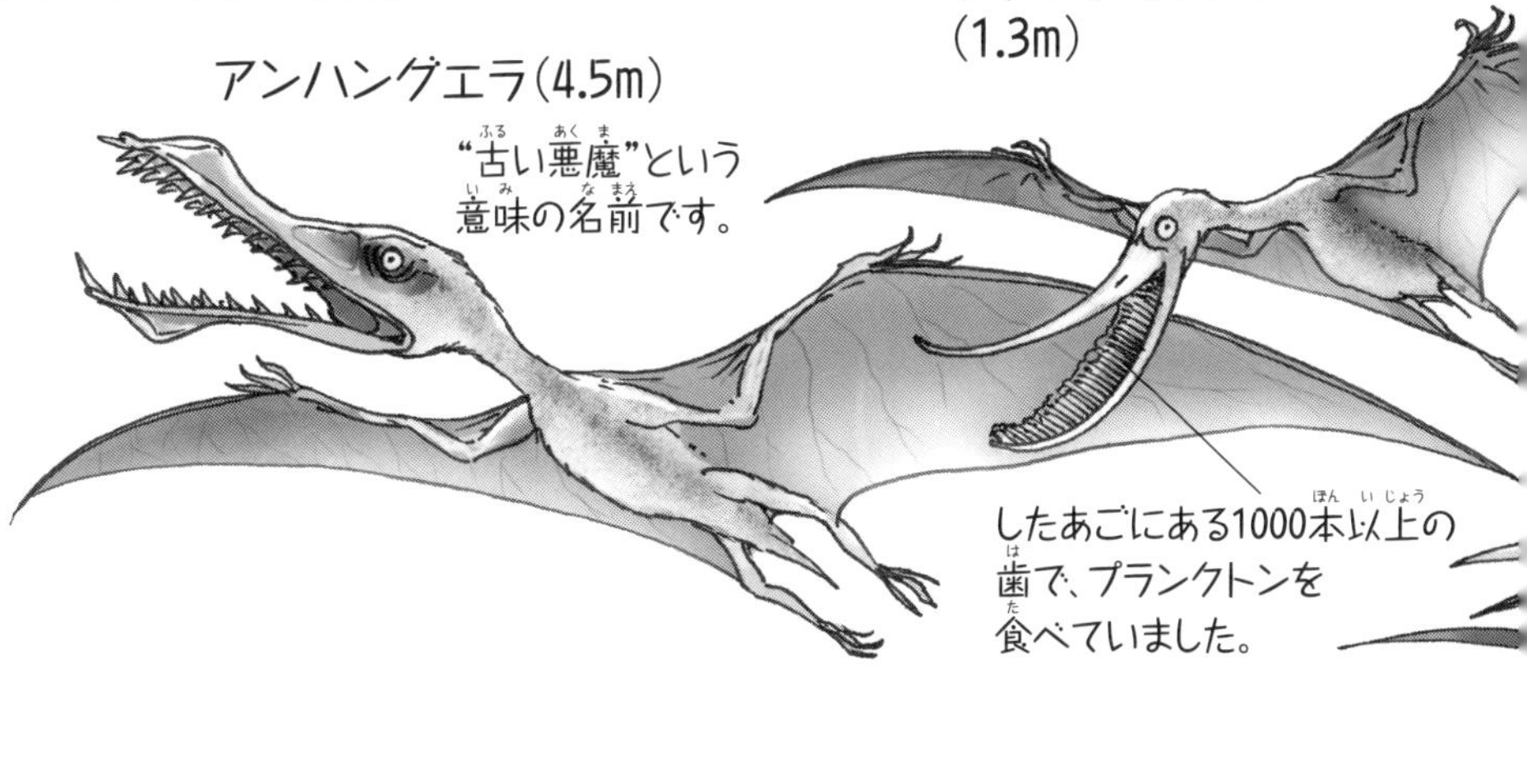

アンハングエラ（4.5m）

“古い悪魔”という意味の名前です。

プテロダウストロ（1.3m）

したあごにある1000本以上の歯で、プランクトンを食べていました。

がいます。ものがたりには、そうした考えをとりいれてえがきました。

そこで、まず、翼竜の骨のしくみを考えてみましょう。

前にも書いたように、翼竜は、四番目の指が長くのびて、そこにまくができ、翼の役目をはたしました。

いま地球上にいるコウモリは、翼竜に似ていますが、しかし、大きなちがいは、その翼のしくみです。

コウモリの翼は、翼竜とちがい、五本の指

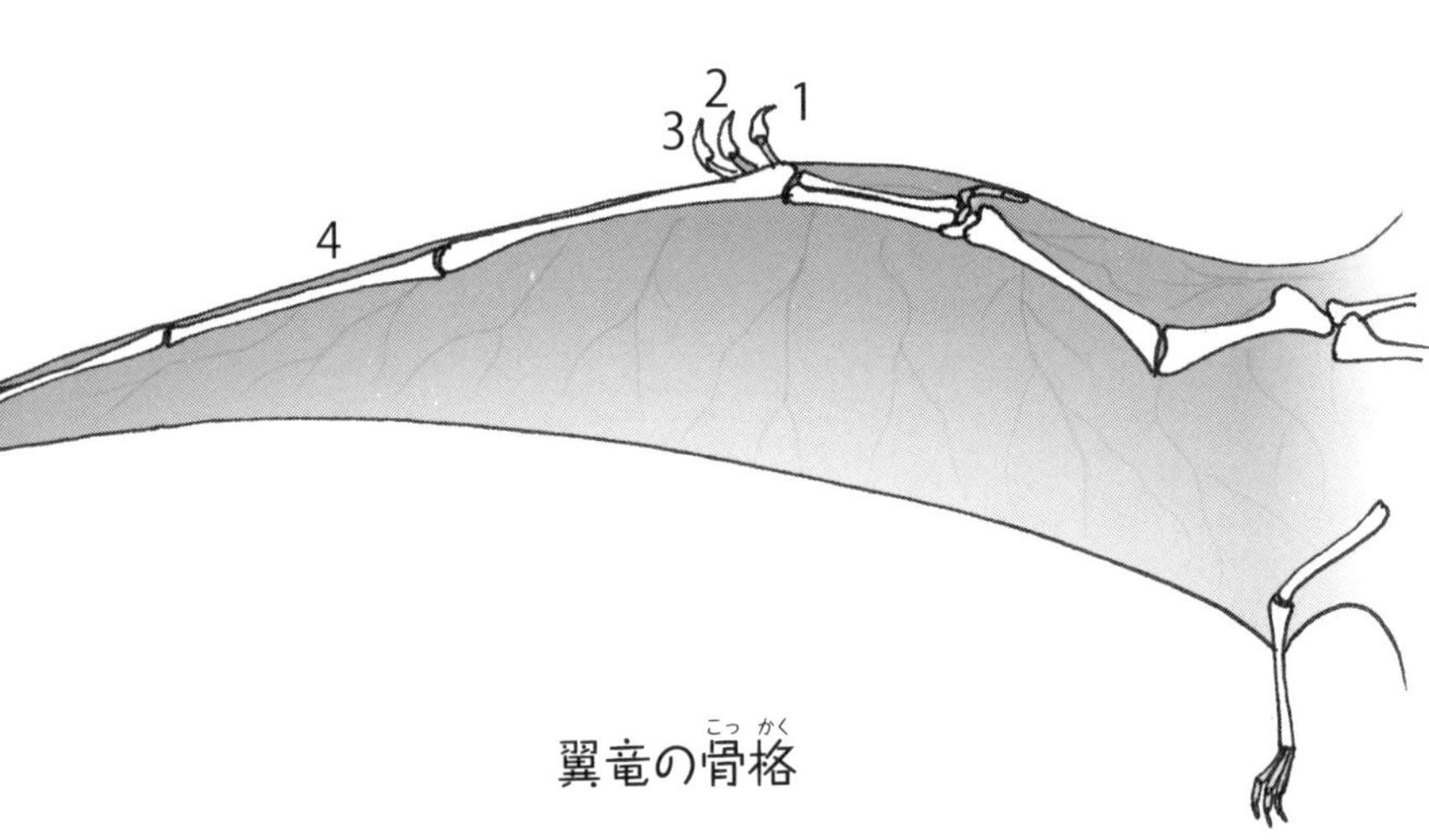

翼竜の骨格

で、それぞれのあいだにまくができていました。

つぎに、翼竜の体の骨を見てみましょう。翼竜の骨は、鳥の骨に似て、たいへんかるいつくりでした。とくに長い骨は、鳥のように中がからになっていました。これは空を飛ぶためにたいせつなことです。

現代の航空機を見ても、骨組みの材料に、なるべくかるい金属が使われています。

化石で見ると翼竜の頭骨には、大きな窓のようなながあいています。これも、なるべ

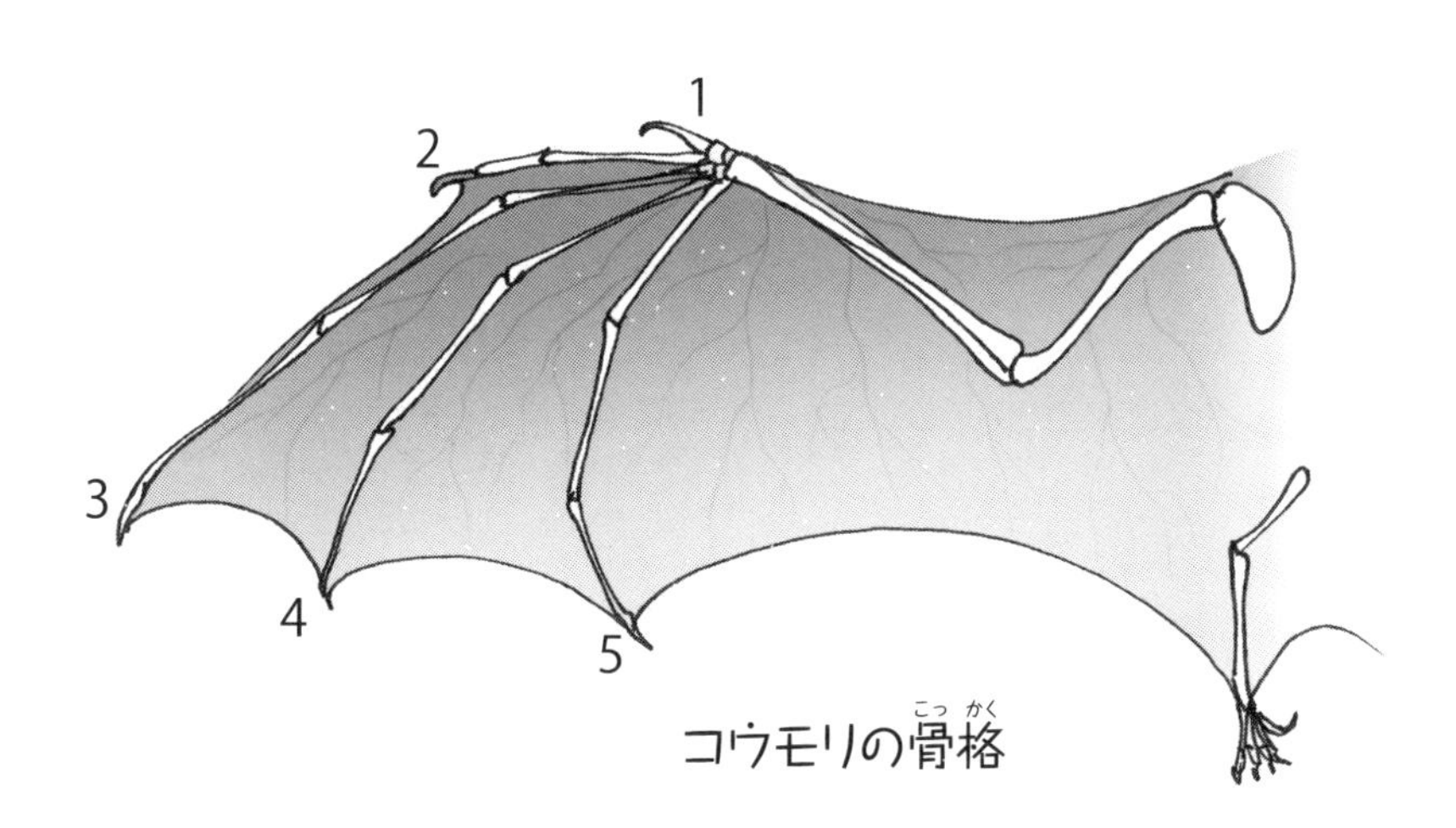

コウモリの骨格

く、体をかるくするためのものです。

つぎに、空を飛ぶためには、かなりのエネルギーを使いますし、風をうけて、体がつめたくなります。

そこで、大きな問題となるのが、翼竜の体温です。

現在、地球上にいるヘビやトカゲやワニなどの、はちゅう類の体温は、「変温動物」といって、体温を、一定の温度にたもつことはできません。外の温度によって、体温がかわるのです。

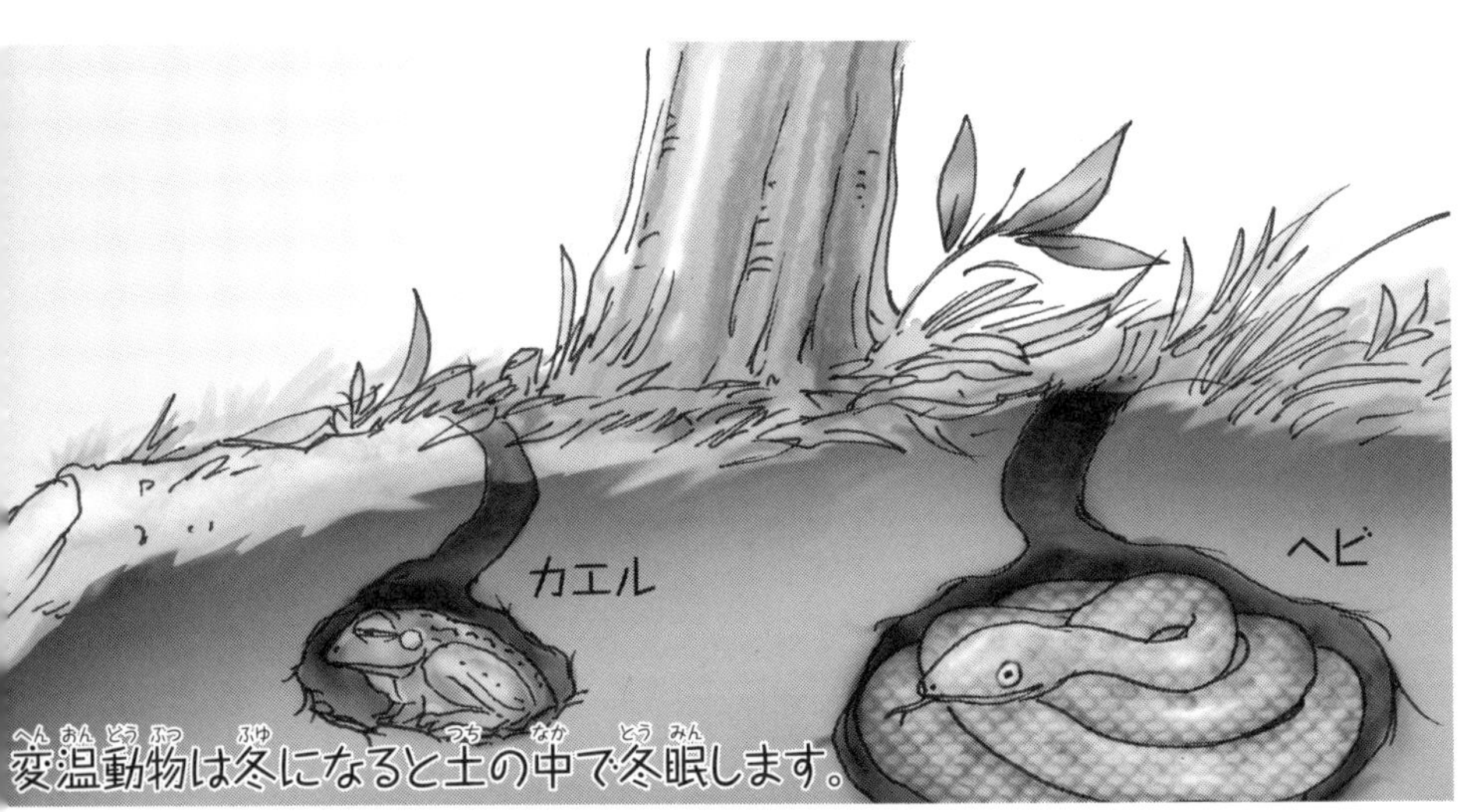

変温動物は冬になると土の中で冬眠します。

ヘビやカエルが、寒くなると、体のうごきがにぶくなるのもそのためです。

外の気温がさがると、体温がさがり、体を活発にうごかす力が、なくなるのです。

でも、気温が上昇し、体があたためられるのといっしょに体温もあたたかくなり、うごきが活発になります。

いっぽう、人間やイヌやウマなどのほにゅう類と鳥は、「恒温動物」といわれ、体温を一定の温度にたもち、外の温度によってかわることがないようにできています。

夏でも気温の低い朝などには日光浴で体をあたためます。

ヘビやカエルなどの体内を流れる血液が、「冷血」といって、つめたいのと、人間や鳥の血が「温血」といって、あたたかいこととも、かんけいがあるのです。

ところで、きょうりゅうは、これまで、ヘビやトカゲなどとおなじく、「変温―冷血」動物だといわれていました。

ところが、新しいけんきゅうによって、きょうりゅうも鳥とおなじように「恒温―温血」動物だったのではないか、と考えられるようになりました。

ペンギン

ホッキョクグマ

恒温動物は寒い場所でも元気にうごきまわります。

もし、そうだとすると、きょうりゅうは、むかし考えられていたように、寒くなるとうごけなくなり、そのためにほろんだのだ、という説はあやしくなります。

アメリカの古生物学者バッカー博士は、きょうりゅうだけではなく、翼竜も温血だった、という説を発表し、たいへん話題になりました。

きょうりゅうや翼竜が、鳥とおなじように温血であったとすれば、古いきょうりゅうのイメージは、すっかりかわってしまいます。

2012年に発見されたユウティラヌスは全身に羽毛があり、寒さにも強かったと考えられています。

ユウティラヌス（9m）

大きな体を、のっそりのっそりとうごかしていた、のろまなきょうりゅうとちがって、ちょうど、ウマやウシやゾウがかけるように、活発にうごきまわったすがたが、うかびあがってきます。

かつては、翼竜の体は鳥のような毛におおわれていなかった、と考えられていました。しかし、その考えは、ひとつの発見によって、大きくゆらぎはじめました。

一九七〇年に、ロシアの古生物学者シャロフ博士が、中央アジアのカザフスタンで、毛

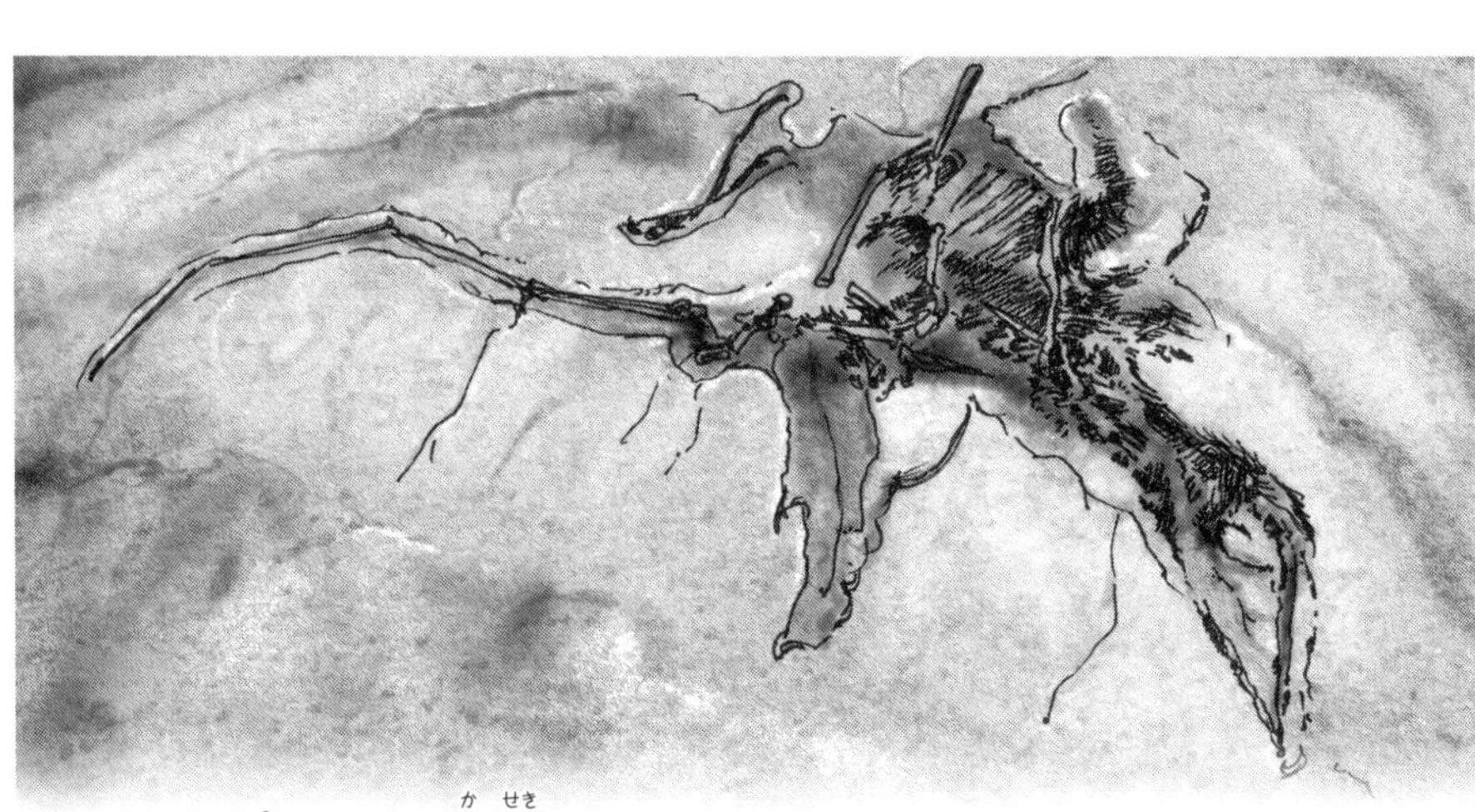

ソルデス・ピロススの化石

におおわれた翼竜の化石を発見しました。
発見した地層は、一億五〇〇〇万年前のジュラ紀のもので、翼竜の化石は、体が毛でおおわれていたことをあらわす、はっきりした証拠がのこされていました。
そこで、シャロフ博士は、この翼竜に、「ソルデス・ピロスス」（毛でおおわれたあくま）という名まえをつけました。
この発見があってから、古生物学者たちは、ほかの翼竜もソルデス・ピロススのように、体が毛におおわれていたのではないか、と考

ソルデス・ピロススの復元模型

えるようになりました。

翼竜はどうやって空を飛んだか

これまで古生物学者の多くが、翼竜は鳥のように羽ばたいて飛ぶことはできず、高いところから翼をひろげて、ちょうどグライダーのように、すべりおりることが、せいぜいだったと、考えていました。

しかし、その後けんきゅうが進んでくるにつれて、その考えについても、ぎもんがおき

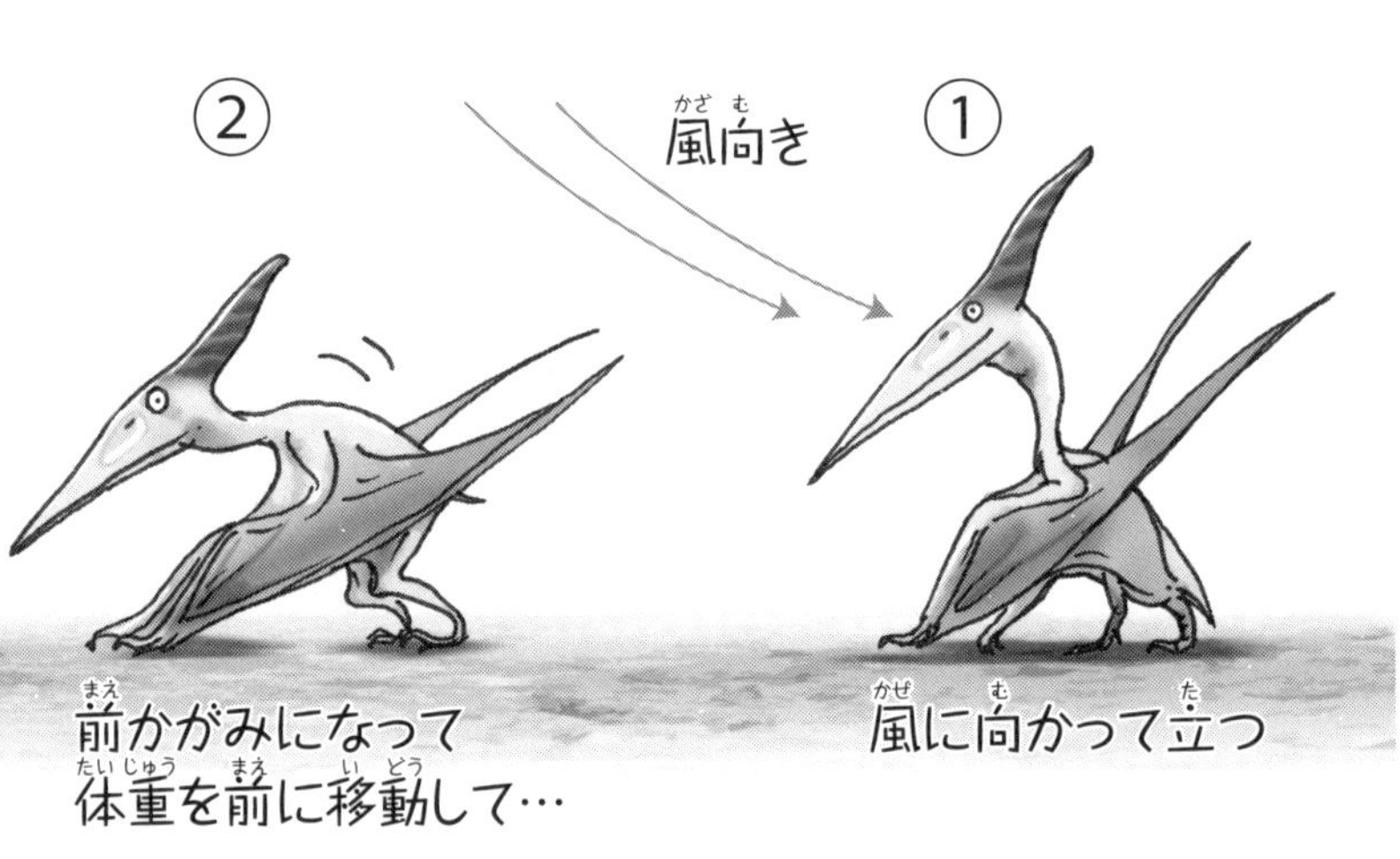

てきました。

たとえば、アメリカ・カリフォルニア大学のケヴィン・パディアンという古生物学者は、多くの翼竜は二足歩行をし、そこから鳥のように、かなり力強く羽ばたいて飛んだのだ、という説を発表しました。

もちろん、その考えをすべての古生物学者がみとめたわけではありません。むしろ、その後見つかった足あと化石から、翼竜が四足歩行をしていたこともわかっています。

ただ、この本のものがたりの中では、パデ

翼竜の飛び立ち方

後ろ足で地面をけって
前足で体を支え…

④

前足でジャンプして飛び立ち、
翼で風をつかまえて上昇する。

イアン博士の考えを、おおいにとりいれて楽しんでもらいました。

一二メートルもの翼をもつケツァルコアトルスが、みごとに羽ばたき、急降下や、ちゅうがえりをやってみせたのもそのためです。

はたして、そうだったかどうかは、まだ、大きななぞにつつまれている、ということだけはもうしあげておきましょう。

最後に、この本のものがたりに登場した、オルニトミムスについてしるしておきます。

オルニトミムスは「鳥に似たトカゲ」とい

グライダーは車などにひっぱってもらって飛び立つと…

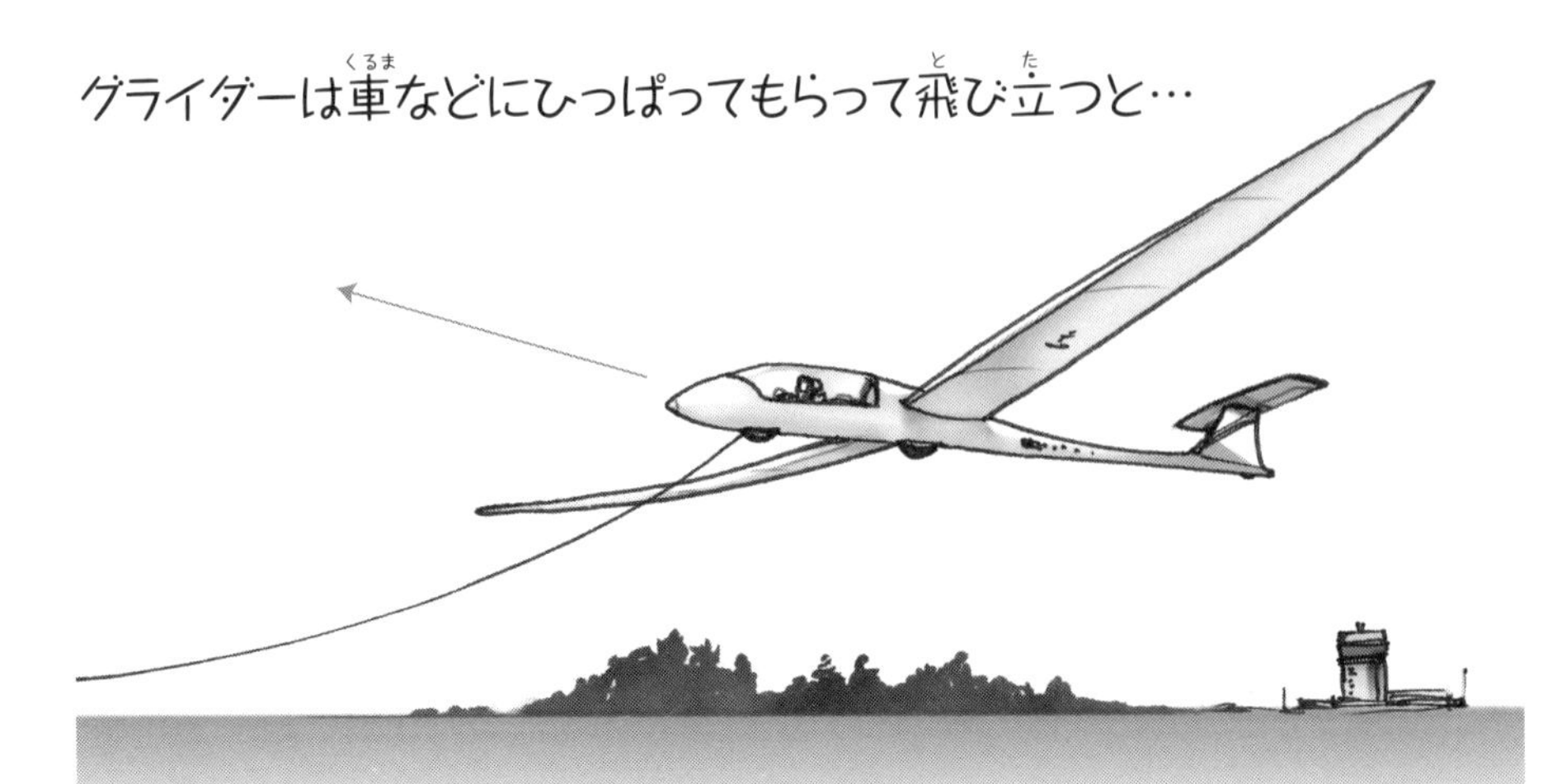

う意味で、この本のシリーズ『オルニトミムス』でとりあげた、ダチョウきょうりゅうのなかまです。北アメリカ西部とアジアのチベットなどから、化石が発見されています。

体の大きさは、およそ三メートル、高さは二・五メートルで、ちょうどダチョウを大きくし、長いしっぽをつけたようなすがたで、超スピードで走りまわっただろうといわれています。体の半分いじょうが、尾でしめられていました。

うすぐらい沼や、森の中にすんでいて、昆

地面からの“上昇気流”をつかまえて、飛びつづけます。

翼竜もこの“上昇気流”を利用していたと考えられています。

虫や木の実などを食べていたのではないか、ともいわれています。

「空を飛ぶはちゅう類」ともいわれ、三畳紀から白亜紀にかけてさかえた翼竜は、きょうりゅうとは別のグループと考えられています。その翼竜も、白亜紀末（六五〇〇万年前）の大量絶滅からのがれることはできませんでした。

これまで日本では、翼竜化石の発見はあまり聞かれませんでした。しかし一九七二年の

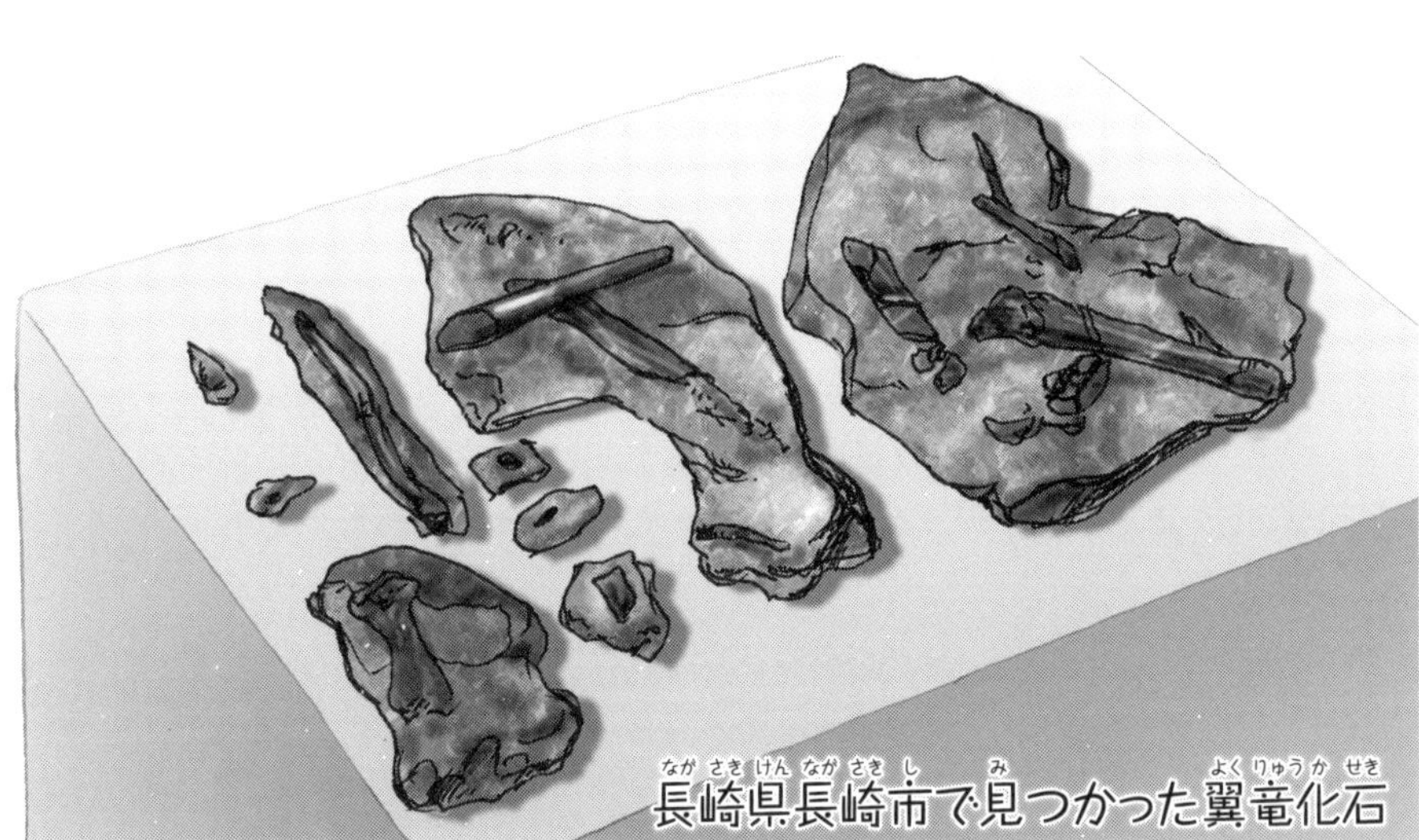

長崎県長崎市で見つかった翼竜化石

北海道・三笠市で、足の骨と首の骨の一部を発見したのを皮切りに、全国各地から数多く発見されはじめています。

一九九〇年には福井県・勝山市で足あとの化石が、一九九七年には熊本県・御船町で首の骨の一部が、二〇〇四年には兵庫県・南あわじ市で首の骨の化石が、二〇〇五年には岐阜県・高山市で子どもの化石が、そして二〇一二年には長崎市で、全身骨格の各部位一五点もの翼竜化石が見つかりました。

しかも、それらの化石のすべてが白亜紀の

日本で翼竜化石が見つかった場所

北海道遠別町
北海道三笠市
北海道夕張市
岩手県久慈市
茨城県ひたちなか市
富山県富山市
石川県白山市
福井県勝山市
岐阜県高山市
兵庫県南あわじ市
長崎県長崎市
熊本県御船町

地層から発見されています。そして、そのほとんどがアズダルコ科の翼竜の化石というからおどろきです。

アズダルコ科といえば、あの巨大翼竜ケツアルコアトルスもそのなかまです。

一億年前の地球は、いまの地球とは地形がちがいますが、みなさんの住んでいるこの土地の上空を、たくさんの巨大翼竜たちが舞い、ティラノサウルスなどの巨大きょうりゅうたちがのし歩いていたのですね。

前足にツメが1本しかないアルヴァレスサウルス科の化石が次々に見つかっていますが、鳥なのかきょうりゅうなのか結論が出ていません。

※前足のツメで土に穴をほって、虫などを食べていたといわれています。

たかしよいち
1928年熊本県生まれ。児童文学作家。壮大なスケールの冒険物語、考古学への心おどる案内の書など多くの作品がある。主な著作に『埋ずもれた日本』(日本児童文学者協会賞)、『竜のいる島』(サンケイ児童図書出版文化賞・国際アンデルセン賞優良作品)、『狩人タロの冒険』などのほか、漫画の原作として「まんが化石動物記」シリーズ、「まんが世界ふしぎ物語」シリーズなどがある。

中山けーしょー
1962年東京都生まれ。本の挿絵やゲームのイラストレーションを手がける。主な作品に、小前亮の「三国志」シリーズ、「逆転!痛快!日本の合戦」シリーズなどがある。現在は、岐阜県在住。

◇本書は、2001年12月に刊行された「まんがなぞとき恐竜大行進 14 はばたくぞ! プテラノドン」を、最新情報にもとづき改稿し、新しいイラストレーションによってリニューアルしました。

新版なぞとき恐竜大行進
プテラノドン 空を飛べ! 巨大翼竜

2017年 6 月初版
2021年 10月第 2 刷発行
文 たかしよいち
絵 中山けーしょー
発行者 内田克幸
発行所 株式会社理論社
〒101-0062 東京都千代田区神田駿河台 2-5
電話［営業］03-6264-8890［編集］03-6264-8891
URL https://www.rironsha.com
企画 ………… 山村光司
編集・制作 … 大石好文
デザイン …… 新川春男(市川事務所)
組版 ………… アズワン
印刷・製本 … 中央精版印刷
制作協力 …… 小宮山民人

ISBN978-4-652-20200-5 NDC457 A5変型判 21cm 86P

遠いとおい大昔、およそ１億６千万年にもわたって
たくさんの恐竜たちが生きていた時代——。
かれらはそのころ、なにを食べ、どんなくらしをし、
どのように子を育て、たたかいながら……
長い世紀を生きのびたのでしょう。
恐竜なんでも博士・たかしよいち先生が、
新発見のデータをもとに痛快にえがく
「なぞとき恐竜大行進」シリーズが、
新版になって、ゾクゾク登場!!

新版 なぞとき 恐竜大行進

第Ⅰ期 全５巻

①フクイリュウ　福井で発見された草食竜
②アロサウルス　あばれんぼうの大型肉食獣
③ティラノサウルス　史上最強！恐竜の王者
④マイアサウラ　子育てをした草食竜
⑤マメンチサウルス　中国にいた最大級の草食竜

第Ⅱ期 全５巻

⑥アルゼンチノサウルス　これが超巨大竜だ！
⑦ステゴサウルス　背びれがじまんの剣竜
⑧アパトサウルス　ムチの尾をもつカミナリ竜
⑨メガロサウルス　世界で初めて見つかった肉食獣
⑩パキケファロサウルス　石頭と速い足でたたかえ！

第Ⅲ期 全５巻

⑪アンキロサウルス　よろいをつけた恐竜
⑫パラサウロロフス　なぞのトサカをもつ恐竜
⑬オルニトミムス　ダチョウの足をもつ羽毛恐竜
⑭プテラノドン　空を飛べ！巨大翼竜
⑮フタバスズキリュウ　日本の海にいた首長竜